伝説の70～80年代バイブル

よみがえるケイブンシャの大百科

黒沢哲哉 編著

いそっぷ社

まえがき

かつて勁文社《けいぶんしゃ》という出版社があった。勁文社は1971年に『原色怪獣怪人大百科』を出版し、それが大ヒットしたことで、以後『○○大百科』という名を付けた子ども向けの本を続々と刊行するようになる。

さらに78年からは判型を文庫本サイズに統一して、本の背表紙に通し番号を付け、「ケイブンシャの大百科」シリーズとして本格的な展開を始めた。

2002年に勁文社が倒産したとき、この番号は697番に達していたが、中には同じ番号で年度ごとに内容を変えて刊行された年鑑形式の大百科もあったため、通番以降に限っても、存在が確認されているだけで777冊もの大百科が刊行されている。

この本では、主にこの通番以後の大百科で、さらに昭和の時代に刊行されたものを中心に紹介した。具体的には1番の『全怪獣怪人大百科』から350番『仮面ライダーBLACK RX大百科』までとなる。

もちろん本当は777冊すべてを写真付きで紹介したかったのだが、それだと写真が米粒のように小さくなってしまい、しかもカタログだけで全頁が埋まってしまうので泣く泣くあきらめた。平成以降の大百科については巻末にリストを付けているのでそちらをご参照いただきたい。

さて、この昭和の時代、すなわち70年代後半から80年代にかけては「ケイブンシャの大百科」がもっとも熱い時代だった。

アニメや特撮を中心にスポーツ、クイズ、アイドルなど、およそ子どもが興味を持ちそうなテーマを幅広く網羅し、小さな判型の中に情報を詰め込めるだけ詰め込む。

このスタイルが受けて全盛期の発行部数は、26『ウルトラマン大百科』や78『テレビ版 機動戦士ガンダム大百科』だと数百万部に達し、キャラクターものではないラジコンや鉄道などの大百科でも初版部数が最低5～6万部以上という、今では考えられないような規模で売れていたのである。

さらに80年代に入ってサブカルブーム、オタクブームが訪れたことも大百科にとって追い風となった。子どもだけでなく大人もアニメや特撮に夢中になり、ファミコンやプラモといった趣味にのめりこむ。そんなことが少しも恥ずかしくない時代がやってきたのである。しかしこの新しい市場に目をつけた出版社はまだあまり多くはなく、それらをいち早く本にして出していた「ケイブンシャの大百科」に多くのマニアが飛びついたのだ。

その影響は大百科を作る側にも及んだ。後に90年代以降のオタクカルチャーを牽引することになる優れた才能が「ケイブンシャの大百科」の製作に続々と関わりはじめたのだ。

こうして生まれた大百科の例が、122『世界の怪獣大百科』（82年）や174『怪獣もの知り大百科』（84年）などである。いまや伝説の大百科とまでいわれるこれらの本がどんな本だったのか、どんな人たちが関わっていたのかはぜひ本文を読んでいただきたい。

ケイブンシャの大百科はこうして80年代に黄金期を迎えた。だが時代の流行と密接に関わっている大百科は飽きられるのも早い。当時は夢中で読まれても、やがて流行が終わると飽きられ捨てられる。最初からそれが大百科の運命だったのだ。

ところが最近、80年代に子どもだった世代の方々から、ケイブンシャの大百科を懐かしむ声をたびたび聞くようになった。その人たちは一様に大百科をむさぼり読んだ時代を熱く語ってくれた。

そんな大百科を記憶の中だけにとどめておいていいのか。そんな気持ちは日増しに強くなり、記憶が薄れ、資料が散逸してしまう前に、こうして記録に残すことを思い立ったのだった。それからこうして本書が世に出るまでには5年以上の歳月を費やしたが、それだけに単なるノスタルジー以上のものを込められたと思っている。

この本を手に取ってくださったあなたに心からの感謝を述べるとともに、ぜひお聞きしたいことがある。あなたにとって「ケイブンシャの大百科」とはいったい何だったのでしょうか？

元「ケイブンシャの大百科」編集者・**黒沢哲哉**

【注】一部、原本を確認できず、刊行年などが不明の大百科があります。また、本文中で紹介している大百科のデータは初版発行日／定価／頁数（巻末に付いていた広告は除く）を示します。

伝説の70～80年代バイブル
よみがえるケイブンシャの大百科
CONTENTS

新作映画公開に合わせて発売された、テレビ版ヤマトの大百科。ストーリーに無関係な小ネタを入れるオタク路線はこのあたりから始まる。

単なるアイドル本にとどまらず、ピンク・レディー全曲の振り付けを写真とイラストで詳細に解説したことで、女の子の必須教本になった一冊。

1958年の『月光仮面』から78年の『ダイターン3』まで、20年間に登場した正義のヒーローを徹底的に紹介。資料性も高かった一冊。

大百科史上最長の20年間にわたって毎年発行された『プロ野球大百科』。この表紙は55年度版で、王引退、長嶋監督解任の年に出されたもの。

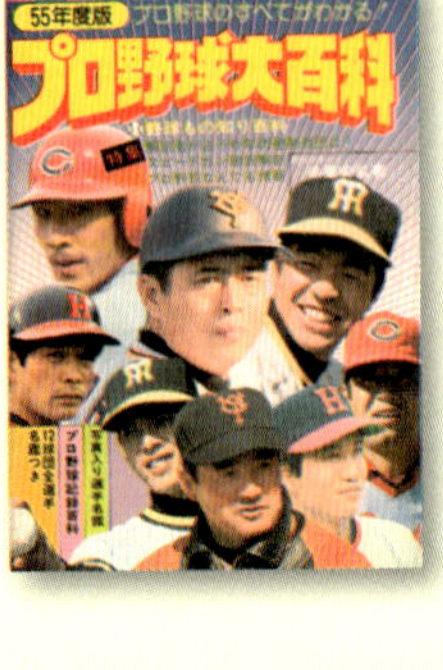

1 53年度版 全怪獣怪人大百科

今では実現不可能な、記念すべき大百科第1弾!!

モノクロアニメのヒーローもカラーで紹介。右下の『突撃！ヒューマン!!』は遊園地のヒーローショーをそのままテレビで放送するというかなり無謀な……いや大胆な番組でした。

記念すべきナンバー1を与えられた53年度版。ただし、同じ表紙でナンバーがついていない53年度版も存在する。2516体収録。
1977・12・25／650円／544頁

ケイブンシャの大百科の記念すべき第1弾が『全怪獣怪人大百科』である。日本の特撮とアニメに登場したすべての怪獣怪人を画像とスペック付きで網羅しようという、崇高かつ無謀なコンセプトのもとに作られた本だった。今だったら、版権関係の問い合わせだけで途方もない時間と労力がかかることが目に見えているから、どこの出版社でも二の足を踏むような企画だろう。

この本、もとをたどれば1971年に発行された『原色怪獣怪人大百科』（124頁参照）がその原型。当初は箱の中に折り込み写真を入れる形式だったが、74年にはそれが一冊にまとめられ、『全怪獣怪人大百科〈保存版〉』（50年度版に相当）という形で発行された。そして新たな怪獣怪人を追加しながら毎年更新され、大百科にナンバリングが施されるようになった78年、当時の最新版だった『53年度版』に栄光のナンバー「1」が与えられたのだ（そのため『53年度版』には、カバーにナンバリングされているバージョンとされていないバージョンが存在する）。

ただし、この時点でも抜けている作品は少なくなかった。とくに『ウルトラQ』以前のテレビ黎明期の作品は、「テレビヒーロー20年史」という形で簡単に紹介されているだけで、どんな敵役が登場

1970年代の実写特撮テレビヒーローそろい踏み。超人気ヒーローも知名度の低いマイナーヒーローも同格に扱われているのがうれしい。

1970年代のメカヒーローたち。ロボットや乗り物など、"怪獣"や"怪人"か微妙なものまで紹介しちゃう節操のなさも『全怪獣怪人大百科』の魅力だった。

ナンバーレス時代の52年度版。表紙は生頼範義の描き下ろしイラスト。2078体の怪獣怪人を掲載している。
1976・12・25／650円／448頁

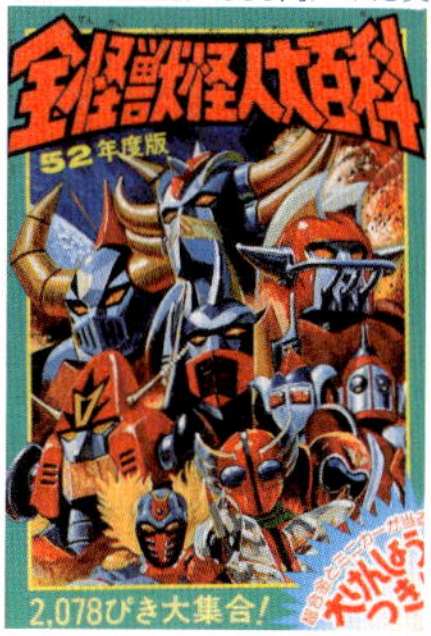

ナンバーレス時代の51年度版。写真をいっさい使わず、イラストのみで構成した表紙が斬新だ。1865体収録。
1975・12・25／650円／不明

ナンバーレス時代に発行された最初の『全怪獣怪人大百科』が、この保存版。50年度版に相当する。収録数は1516体。
1974・12・1／650円／448頁

したのかまでは言及されていない。また、それ以降の作品でも、写真を調達できなかった怪獣怪人に関しては、苦肉の策として、独自のイラストで代用しているあたり、編集部の苦労がうかがえる。

『53年度版』以降も毎年年末に次年度版が発売されたが、その間にも、怪獣や怪人が登場する新作が次々と作られていたわけだから、年を重ねるごとに収録数と頁数は増えていく。『全怪獣怪人大百科〈保存版〉』では1516体収録、448頁だったのが、『55年度版』では、3211体を収録し、600頁を超すまでになっていた。

本の厚さは、他の大百科よりも薄い材質の紙を使用することで抑えていたが、それでも1頁に何体も詰め込まざるを得なくなり、写真や解説のスペースが年々小さくなっていく。写真によっては背景との区別がつかず、形を認識できないものさえ出てくる有様だった。

結局、『56年度版』からは対象をテレビ番組だけに絞り、映画に登場した怪獣や怪人はばっさりカット（その代わり各番組の放映データが記載されるようになり、資料性はアップ）。『57年度版』からは『ウルトラQ』以前の作品が組み込まれるようになったものの、アニメキャラが対象外となった。

大いに物議をかもしたのが、翌年の『58年度版』

当時の最新特撮テレビドラマ『恐竜戦隊コセイドン』を筆頭に1966年の『ウルトラQ』まで、103のテレビ番組と東宝映画に登場した2424体の怪獣怪人を掲載している。表紙でメインを張っているのが、今や幻のロボットアニメともいわれる(?)『宇宙魔神ダイケンゴー』というのが、なんともマニアックかつ貴重だ。このダイケンゴー、巻頭カラーでもトップ頁に口絵が掲載されるほどの力の入れようなのだが、本文中の紹介はわずか1頁のみ。しかも、使われている画像がすべて同じイラストからの流用というのが泣かせる。新作の追加にともなって、前年度版には掲載されていた『快獣ブースカ』『チビラくん』『がんばれ!!ロボコン』『ろぼっ子ビートン』といったコメディ系の番組を割愛。また、映画怪獣は前年まで大映のガメラシリーズや東映、日活、松竹、新東宝の作品も対象としていたが、この年から東宝怪獣のみに絞られている。前年の「テレビヒーロー20年史」で紹介された『ウルトラQ』以前のテレビ黎明期の特撮番組もすべて対象外となってしまったのは残念だ。巻末には、闘将ダイモスと『スパイダーマン』に登場したレオパルドンの超合金が合計60名に当たる懸賞が付いていた。

1 54年度版 全怪獣怪人大百科

1978・12・25／650円／544頁

これが表紙に巻頭カラーに大活躍の「ダイケンゴー」だ!

だ。バラエティドラマの「タケちゃんマン」や「ピンキーパンチ大逆転」まで追加されたにもかかわらず、前年の3090体に対して1572体と収録数が突然半減してしまったのだ。

これは、写真を大きくしてほしい、という読者からの要望に応え、収録怪獣怪人を絞り込んだため。しかしこれでは、「全」の文字が泣く。さすがに評判が悪かったのか、翌年からは、全収録に戻され、収録数も3485体と大幅にアップした（ただし、他の大百科でカバーしているウルトラシリーズと仮面ライダーシリーズの怪人怪獣は大幅に割愛）。

この『59年度版』では、新作から過去の作品に遡《さかのぼ》っていくという従来の配列を改め、テレビ放映順に準じた並び替えがおこなわれたのも特徴だ。この配列は『60年度版』にも受け継がれたが、大百科としての『全怪獣怪人大百科』はこれで打ち止め。664頁というのは大百科中、最大の頁数だが、この時点で限界に達していたといっていい。

しかしケイブンシャも全怪獣怪人完全制覇の野望をあきらめたわけではなかった。1990年には、パワーアップ版ともいうべきA5判上下巻の『全怪獣怪人』を刊行。20年間にわたって蓄積されてきた膨大なデータを結集し、特撮ファン必携の名著として実を結んだのである。

55年度版
全怪獣怪人大百科

対象テレビ番組数は前年度の103から89へとかなり減らされたが、掲載怪獣怪人数は2424体から3211体へと大幅に増加。作品によって登場話数が付くようになった。映画怪獣は前年度同様、東宝のみを掲載。

1980・1・10／650円／608頁

56年度版
全怪獣怪人大百科

92番組3692体を掲載。この年から映画怪獣はすべて除外され、テレビ番組のみが対象に。番組の放映期間が記載されるようになり、資料性が若干アップ。アニメ番組が掲載された最後の『全怪獣怪人大百科』である。

1980・12・25／650円／608頁

57年度版
全怪獣怪人大百科

この年からアニメが外され、テレビ特撮オンリーに。そのため収録数は3090体と若干減ったが、『ウルトラQ』以前のテレビ特撮も扱うようになったので、番組数は101に増加。番組の放映データも充実がはかられた。

1981・12・20／650円／608頁

58年度版
全怪獣怪人大百科

124番組1572体を掲載。写真を大きくしてくれという読者の声に応え、怪獣怪人の収録数を大幅に減らした問題の大百科。巻頭カラーでは、昭和30～40年代のヒーロー漫画や怪獣おもちゃを紹介している。

1982・12・10／650円／544頁

59年度版
全怪獣怪人大百科

作品配列が放映順に変更され、1958年の『月光仮面』から当時の最新作『ペットントン』までの147番組に登場した3485体を掲載。巻頭カラーでは、歴代の『全怪獣怪人大百科』の表紙を一挙掲載している。

1983・12・5／650円／600頁

60年度版
全怪獣怪人大百科

『月光仮面』から『どきんちょ!ネムリン』までの147番組3823体を掲載。最後にして最大の『全怪獣怪人大百科』。巻末に、『超電子バイオマン』でファラキャットを演じた大島ゆかり(現シンシア・ラスター)のエッセイを掲載。

1984・11・30／650円／664頁

2 プロ野球大百科

延々20年間にわたった最長&最多のシリーズ

2 52年度版 プロ野球大百科

ホームラン記録世界一（756本）が残り40本に迫った王貞治を中心に、監督の長島茂雄や張本勲、75年から連覇の阪急・上田利治監督の顔も。

1977・4・20／600円／448頁

大百科における最長期&最多数のシリーズである。ナンバーレス時代に51年度版、52年度版、53年度版が出ており、53年度版にはナンバリング「2」のものも混在する（これは『全怪獣怪人大百科』と同様）。

基本的には、年ごとの選手名鑑&年度記録本であり、その折々にさまざまな企画が組まれている。52年度版では「巨人軍てってい解剖」として、選手たちの乗用車、長島監督の散歩コース、王選手の自宅は都立大学前から歩いて10分、と今なら個人情報となってOUTなネタが満載だ。

メインの名鑑においても、56年度版の広島・古葉竹識（前年度優勝監督）は「真面目一徹のような顔をしていますが、社交ダンスが得意ときています。そういえばマウンドに行く時の足取りなんかなかなか軽快なリズムですね」と書かれ、また各選手の「結婚」「離婚」に関しては必須事項のように記載されている。結婚式場名が書かれている場合すらある（必要か？）。暴走気味の著者は『日刊スポーツ』記者の佐藤安弘だ（'92年版からは監修）。

2 55年度版 プロ野球大百科

王引退、長嶋監督解任の年。小林繁は阪神に移籍2年目、安定の笑顔の掛布、山本浩二は前年と同じ写真。阪急・山田久志も登場。

1980・4・25／600円／384頁

2 54年度版 プロ野球大百科

王、長島のセンターは揺るがず、笑顔の掛布、鋭角な山本浩二ら。消滅した近鉄バファローズの帽子をかぶるは、「草魂」鈴木啓示。

1979・3・31／600円／480頁

2 53年度版 プロ野球大百科

表紙センターは王、長島、掛布雅之に張本。前年日本シリーズ3連覇を達成した上田監督は誇らしげ。ただしこの表紙はナンバーレスのもの。

1978年／600円／不明

2 58年度版

プロ野球大百科

江川と原の配置は前年と同じだが、隣のロッテ・落合博満は小さすぎないか。前年、史上最年少の28歳で三冠王に輝いたというのに。

1983·4·10／650円／288頁

2 57年度版

プロ野球大百科

前年新人王の巨人・原が目立つ。山本浩二は4年続けて表紙に。80年から最多勝を続けるなど活躍するも表紙を飾れなかった江川卓がついに登場。

1982·4·25／650円／384頁

2 58年度版

プロ野球大百科

前年本塁打王の山本浩二が初のセンター。2年目の阪神・岡田彰布や新人の原辰徳が登場。小林繁や西武に移籍して3年目の田淵幸一も。

1981·4·20／650円／384頁

2 '86年版

プロ野球大百科

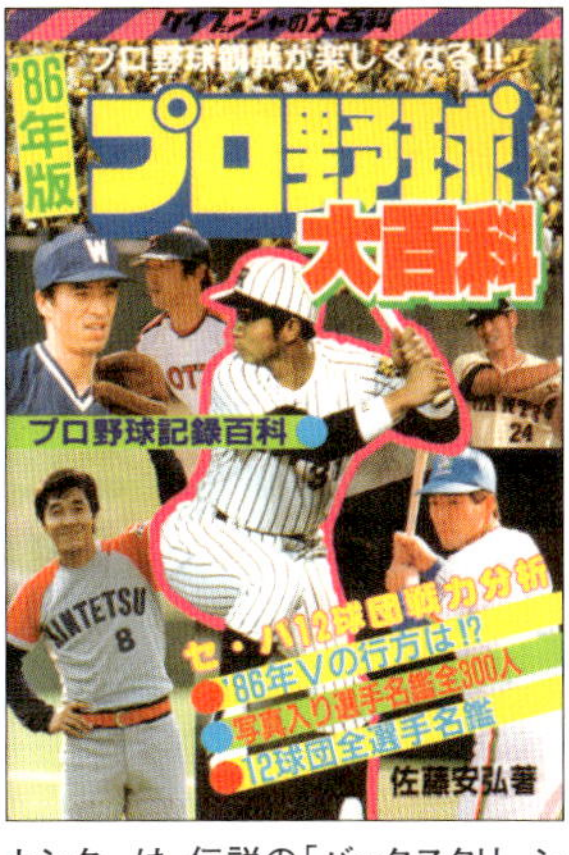

センターは、伝説の「バックスクリーン3連発」など前年の阪神日本一に貢献した掛布雅之。だがこの年は骨折等で3度の戦列離脱、絶不調だった。

1986·4·1／650円／280頁

2 '85年版

プロ野球大百科

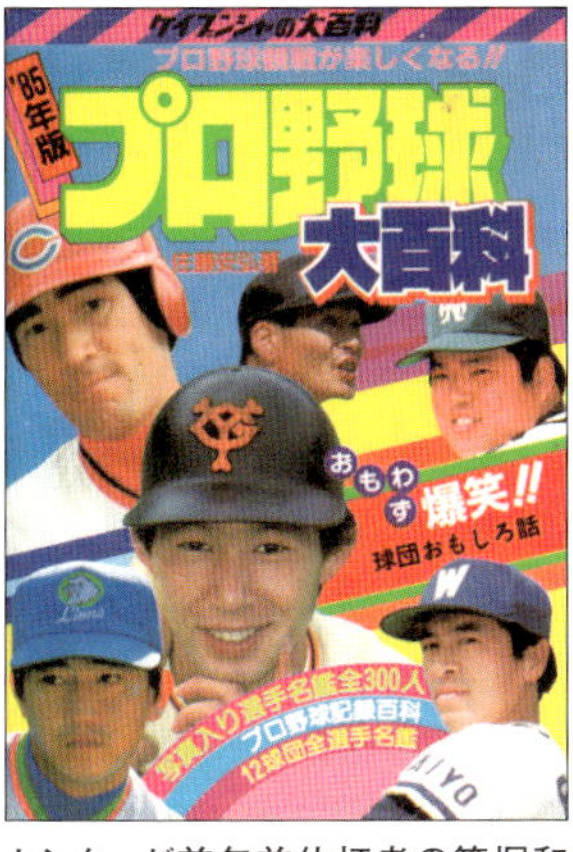

センターが前年首位打者の篠塚和典。他にも中畑清（巨人）やドカベン香川（南海）、遠藤一彦（横浜）、田尾安志（西武）など地味な顔ぶれ。

1985·4·5／650円／280頁

2 '84年版

プロ野球大百科

前年打点王を獲得、MVPにも選ばれた原が堂々のセンター。前年4度目の本塁打王になった山本浩二が表紙に復活、江川はいつもの証明写真顔。

1984·4·10／650円／288頁

〔'87年版〕2年連続三冠王の実績をひっさげて中日に移籍してきた落合がついにメインに。センターは2年目の清原和博、後に巨人で擦れ違い移籍となる二人だ。

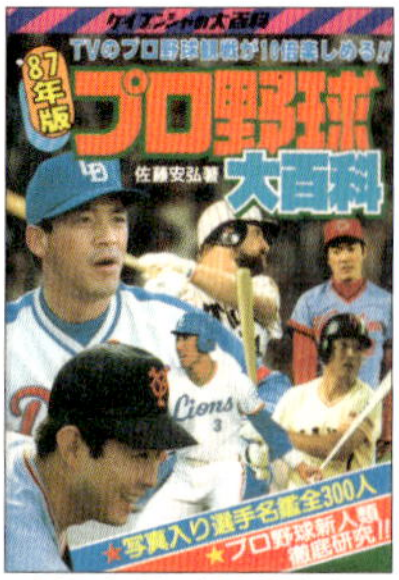

1987·3·30／680円／248頁

〔'88年版〕前年に最優秀防御率と最高勝率を獲得した工藤公康（西武）がセンター。左上の吉村禎章（巨人）はこの年、試合中に大けがを負う。

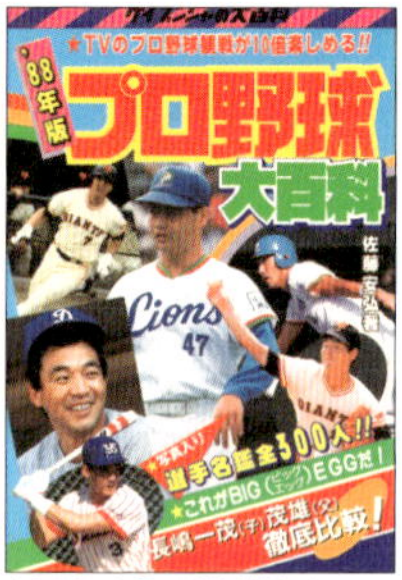

1988·4·5／680円／224頁

〔'89年版〕センターが清原、その下に桑田というのは意図的な配置だろう。新人王を争った西崎幸広（日本ハム）と阿波野秀幸（近鉄）が向かい合う。

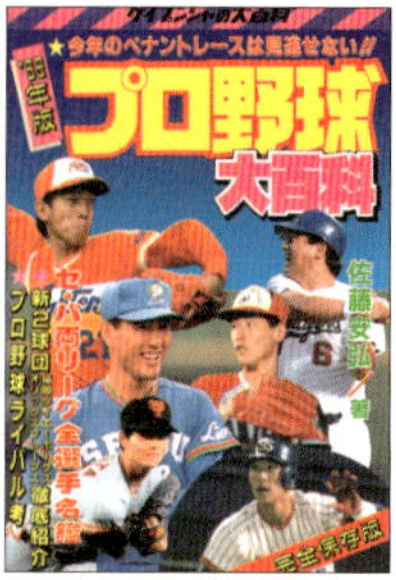

1989·4·17／680円／224頁

〔'90年版〕左下に野茂英雄（近鉄）。この年新人でありながら、最多勝や最多奪三振などを獲得。センターの清原とは「平成の名勝負」を繰り広げた。

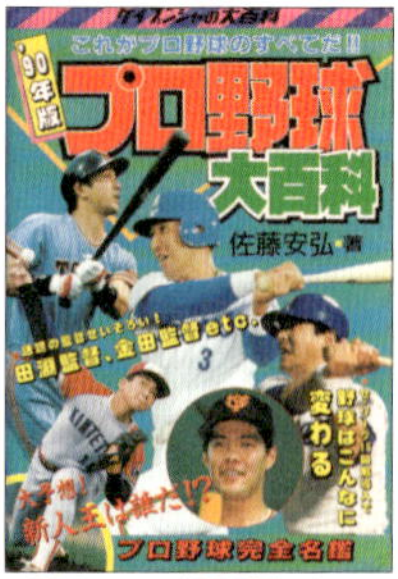

1990·4·5／680円／224頁

〔'91年版〕センターが野茂に（この年、6試合連続2ケタ奪三振を記録）。右上の斎藤雅樹（巨人）は89年90年と、2年連続20勝をあげて大エースに。

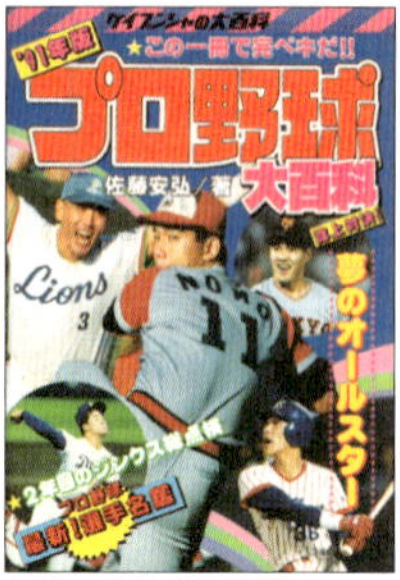

1991·5·7／680円／222頁

〔'92年版〕センターは2年続けて野茂英雄。隣に桑田真澄、下に池山隆寛（ヤクルト）。前年の日本シリーズでMVPを受賞した秋山幸二（西武）も登場。

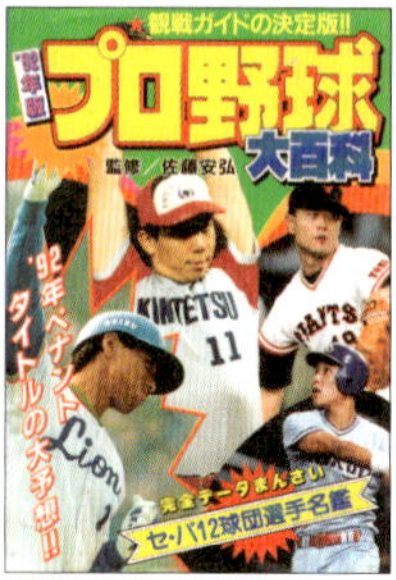

1992·5·6／680円／222頁

〔'93年版〕センターは池山、左右に野茂と清原、この年にプロ初出場した松井秀喜が早々と表紙に登場。13年ぶりに巨人監督に復帰した長嶋茂雄の姿も。

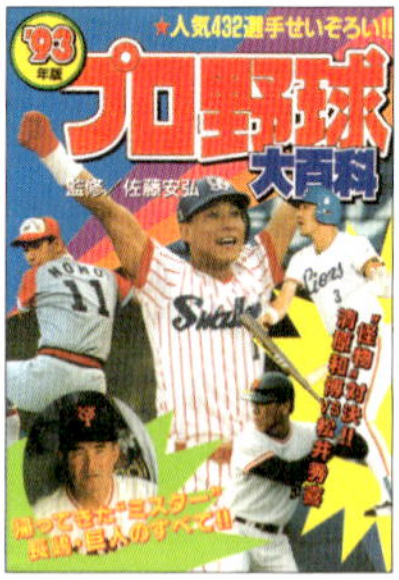

1993·5·11／718円／222頁

〔'94年版〕センターはまたも池山。特筆すべき活躍はしていないのだが…。前年シーズンMVPを受賞した工藤がいた西武はこの年までリーグ5連覇を達成。

1994·4·28／738円／254頁

〔'95年版〕この年初の4番を打つことになる松井がメインに。4年目のイチロー（オリックス）が初登場、前年にはシーズン200本安打を達成するなど大ブレーク。

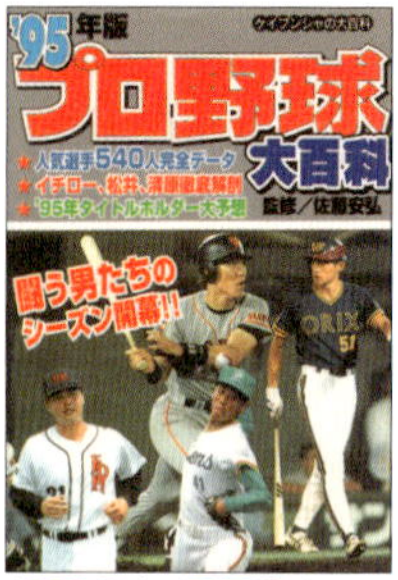

1995·5·1／757円／254頁

〔'96年版〕ほとんどイチロー本のようになった表紙。阪神大震災が起きた前年、首位打者や打点王など5冠王に輝き、本拠地・神戸を勇気づける大活躍。

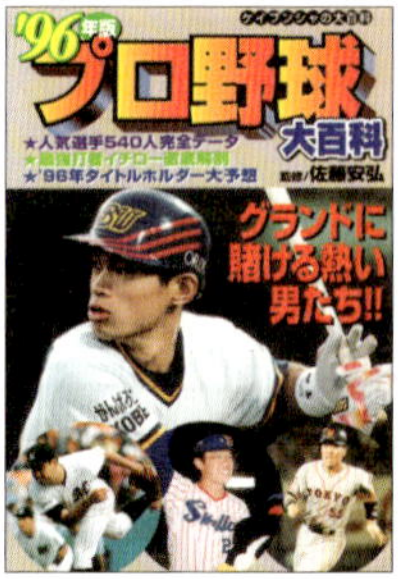

1996·4·30／757円／238頁

〔'97年版〕メインはやはりイチロー、丸囲みで松井稼頭央（西武）。その西武から巨人にFA移籍した清原が久々の登場。中日のエース・今中慎二も見える。

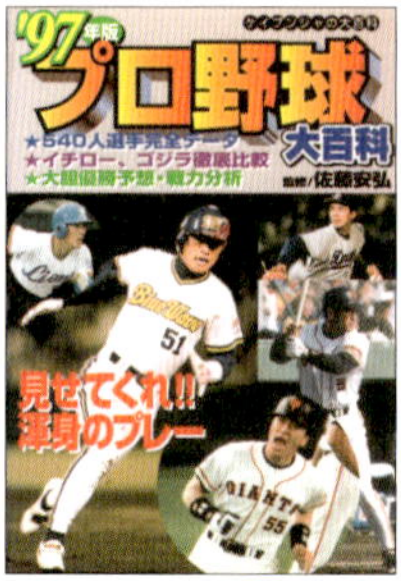

1997·5·6／760円／238頁

〔'98年版〕大魔神・佐々木主浩（横浜）とイチローが対峙する構図。真下で手を振る古田敦也（ヤクルト）が大百科に別れを告げているかのようだ。

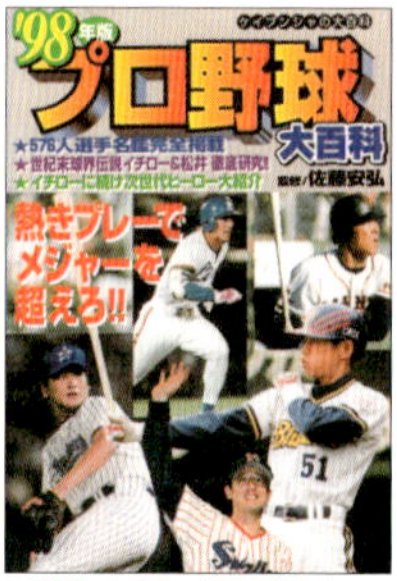

1998·4·30／820円／254頁

5 世界の鉄道 機関車・電車大百科

ナンバーレス時代の大百科に通番を入れたもの。鉄道系大百科の第1弾で、古今東西のSLを中心に、日本の特急・急行、ディーゼル&電気機関車をカタログ形式で紹介。監修は鉄道写真家として知られる南正時。

1976·2·20／600円／352頁

3 最新版 世界の飛行機大百科

さらに5年を経て発行された、右の大百科の改訂版。前著の発売以降に登場した新しい飛行機、ヘリコプターが追加されているが、基本的な構成は変わっていない。著者だった青木日出雄が監修になっている。

1982·9·25／650円／320頁

3 最新版 世界の飛行機大百科

ナンバーレス時代の『世界の飛行機大百科』の改訂版。軍用機を除く旅客機、プロペラ機、ヘリコプターなどあらゆる飛行機を一覧できる。著者の青木日出雄は、当時の航空ジャーナル社の社長兼編集長。

1977·9·25／600円／342頁

6 53年度版 野球ルール教室大百科

1980·5·15／500円／296頁

1979·6·10／500円／296頁

1983·4·25／600円／296頁

1982·5·20／600円／296頁

巨人の打撃コーチ時代に王に一本足打法を教え、後にヤクルトの監督を務めた荒川博が監修した、野球のルール解説書。ナンバーレスの51年度版から始まり、58年度版まで毎年更新されたが、微妙に変化したルールを反映させるだけで、基本的な構成は変わらなかった。

1978·5·15／450円／296頁

4 ヤングタレント大百科

毎年更新の名物企画。アイドル好きの必携本!!

4 55年度版 ヤングタレント大百科

アイドル過渡期の大百科で、表紙からピンク・レディーが消え、榊原郁恵を中心に、石野真子、大場久美子、西城秀樹、沢田研二が並ぶ。山口百恵が引退したのがこの年10月で、それと入れ替わるかのように、松田聖子、田原俊彦、岩崎良美、河合奈保子、三原順子（現・じゅん子）、柏原よしえ（現・芳恵）ら新しいアイドルが相次いでデビューした。

1980・1・10／650円／352頁

4 54年度版 ヤングタレント大百科

前年、「UFO」でレコード大賞を獲得したピンク・レディーだが、この年から人気は下降。秋には活躍の場をアメリカに移してしまう。一方、山口百恵も三浦友和と恋人宣言。西城秀樹の「YOUNG MAN（Y.M.C.A.）」が大ヒットした年だが、70年代アイドルは往時の勢いを失い、ゴダイゴやアリスなどのニューミュージックが人気を得ていった。

1979・1・15／650円／360頁

4 53年度版 ヤングタレント大百科

ピンク・レディー旋風が日本中を席巻した年の大百科。キャンディーズが人気絶頂で解散したのもこの年だった。沢田研二、西城秀樹、野口五郎、郷ひろみ、山口百恵、桜田淳子らも人気を保っていたが、本書では、前年「失恋レストラン」でレコード大賞最優秀新人賞を得た清水健太郎にスポットを当て、その劇画物語を掲載している（ただしこの表紙はナンバーレス）。

1978・1・10／650円／360頁

毎年更新された、写真付きタレント名鑑である。生年月日や出身地、身長・体重、ヒット曲、出演作といったデータが中心だが、人気アイドルには、近況や交友関係などのプライベート情報が掲載され、読み物としても楽しめる。また、巻末では、『ザ・ベストテン』や学園ドラマ、欽ちゃんの番組など、当時の人気番組を特集。無味乾燥な名鑑で終わらせていないところが、大百科らしい。

52年度版から'86年版まで10冊刊行されたあと（52〜53年度版はナンバーレス。また和暦表示を'84年版から西暦表示に変更）、1年おいて318番『アイドル大百科』へと衣替えしたが、そもそもは〝ヤング〟の付かない『51年度版 タレント大百科』が本書のルーツ。こちらは児童書であることを忘れてしまったのか、ルビも振られていないし、「芸能新語・隠語コーナー」では、「宇宙遊泳→シンナーを吸って、セックス遊びをすること」、「祭り→乱交パーティー」など危ない項目が満載だ。アイドルたちへのアンケートでは「トイレは1日何回？」なんていう失礼な質問もあるし、「作詞家・作曲家住所録」という個人情報ダダ漏れのデータまで掲載していた。

4 58年度版
ヤングタレント大百科

松田聖子はこの年、「秘密の花園」で10曲連続オリコン1位となり、ピンク・レディーの9曲連続1位を更新。前年には、松本伊代、シブがき隊、小泉今日子、中森明菜、堀ちえみ、早見優、石川秀美ら「花の82年組」がデビュー。

1983・1・5／650円／320頁

4 57年度版
ヤングタレント大百科

松田聖子とたのきんトリオに加えて、前年「少女人形」で歌手デビューをはたした伊藤つかさが表紙に登場。人気番組『欽ドン！良い子悪い子普通の子』から飛び出したイモ欽トリオも特集されている。

1982・1・10／650円／320頁

4 56年度版
ヤングタレント大百科

テレビの『3年B組金八先生』で脚光を浴びた田原俊彦、近藤真彦、野村義男のたのきんトリオが大人気に。この年から数年にわたり、松田聖子とともに表紙を飾ることになる。左下の三原順子は今では国会議員だ！

1981・1・10／650円／320頁

4 '86年版
ヤングタレント大百科

表紙のメインは変わらずチェッカーズだが、中山美穂や柏原芳恵、斉藤由貴らが初登場。ミポリンは前年「C」でデビュー、レコード大賞最優秀新人賞を獲得。斉藤由貴は「卒業」でデビュー、『スケバン刑事』の主演も話題になった。

1985・12・20／650円／280頁

4 '85年版
ヤングタレント大百科

表紙から「聖子・トシちゃん・マッチ」の御三家が消え、チェッカーズと小泉今日子がメインに。チェッカーズは「涙のリクエスト」「星屑のステージ」、キョンキョンは「渚のはいから人魚」「ヤマトナデシコ七変化」が前年大ヒット。

1984・12・15／650円／288頁

4 '84年版
ヤングタレント大百科

表紙の中森明菜はこの年、「北ウイング」「サザン・ウインド」そして井上陽水の名曲「飾りじゃないのよ涙は」を発表。右下のシブがき隊は「サムライ・ニッポン」「べらんめぇ！伊達男」など男臭い歌を連発していた。

1983・12・20／650円／320頁

7 最新版 ヒーローロボット大百科

アニメ・特撮に登場したロボットが大集結だ!!

1983年に同ナンバーで発行された改訂版。内容はまったくの別もので、最新アニメが中心になっている。

1983・11・5／650円／280頁

前半で『大鉄人17』『ダンガードA』ら最新ヒーローの紹介、後半で133頁にわたって映画やテレビに登場したロボットを写真付きで紹介しているのが圧巻だ。

1977・7・25／600円／352頁

ナンバーレス時代の1976年に刊行された『ヒーローロボット大百科』の最新版で、『大鉄人17《ワンセブン》』『ボルテスV《ファイブ》』など当時の最新作を中心に、アニメ・特撮に登場したロボットを紹介している。

そのほか、ヒーロークイズやスーパーロボット解剖図なども掲載されているが、注目すべきは、1956〜77年にわたって日本の映画・テレビに登場したロボットを名鑑形式で紹介した特集頁だろう。そのトップに掲載されているのが、1956年公開の新東宝映画『空飛ぶ円盤 恐怖の襲撃』（関沢新一監督）に登場した怪ロボット、ダレスなのである。この映画は、日本で初めて宇宙人による侵略を描いた映像作品で、一度もビデオ化されていない幻の作品。ダレスは日本の映像化宇宙ロボット第1号でありながら、『全怪獣怪人大百科』にも載っていない幻のキャラクターだった。さらには、これまた幻のテレビ番組、1957年の『宇宙船エンゼル号の冒険』に登場した召使ロボット、プピイまで紹介されている。ほかでは滅多にお目にかかれない、これらのロボットが写真とスペック付きで掲載されているのだから、とてつもなく貴重な資料である。

なお6年後に、ふたたび最新版が出ているが、一から作り直されており、古い作品はすべて除外されてしまった。

8 最新改訂版 カラー版

野生動物大百科

『野生動物大百科』の最新改訂版は中身がまったく同じで、表紙だけ異なるバージョンが存在する。発行日も同じなので、何か問題が生じての差し替えではなく、最初から2種類で発行したようだ。

1982･6･5／650円／384頁

8 最新改訂版 カラー版

野生動物大百科

数年を経て発行された、右の大百科の最新改訂版。492種類にも及ぶ世界の野生動物がオールカラーで掲載されている。監修した「動物の科学研究会」は、著名な動物学者たちが結成した研究グループ。

1982･6･5／650円／384頁

8 カラー版

野生動物大百科

もとはナンバーレス時代に発行されていた大百科。世界中の野生動物をオールカラーの図鑑形式で紹介している。この後大百科は、同じスタイルで野鳥や昆虫などを手がけていく。内容は真面目かつ正確なもの。

不明／不明／不明

10 世界の鉄道

特急・私鉄大百科

これも、もとはナンバーレス時代の大百科。特急列車リスト、日本の全私鉄図鑑、路面電車、地下鉄などを紹介している。「世界の鉄道」とあるが、海外の列車はさほど多くない（ただしこの表紙はナンバーレス）。

1976･9･20／600円／352頁

1982･9･15／650円／320頁

1984･5･25／650円／280頁

9 世界の名車

最新版 自動車大百科

1976年、ナンバーレスで出た『自動車大百科』の最新版。スーパーカー、スポーツカー、乗用車、オートバイ、クラシックカーなど、世界の名車を紹介している。このあとも何度か最新版が出た。

1978･8･25／600円／480頁

11 53年度版

大相撲大百科

これも、もともとはナンバーレス時代から発行されていた大百科である(右の表紙もナンバーレスのもの)。幕内・十両・部屋別全力士名鑑のほか、相撲もの知り情報や豆知識、成績と記録、決まり手集、幕内力士星取表などが掲載されている。
当時の大相撲は、横綱が輪島と北の湖、大関が若三杉、貴ノ花(先代)、旭國、三重ノ海の4人で、ほかに、荒勢、魁傑、高見山、富士櫻、麒麟児、増位山など個性豊かな名力士がそろっていた。子どものあいだでも、相撲ファンが多かった時代である。
その相撲ブームに乗って、『大相撲大百科』は54年度版、55年度版と毎年更新されていったが、横綱・三重ノ海の引退や貴ノ花と輪島の衰え(両者とも56年で引退)などで人気が収束すると、いったん刊行を休止。しかし、千代の富士や小錦の活躍でブームが再燃したとみるや、60年度版を発行している。
だが、そのあとは更新がふたたびストップし、次の『大相撲大百科』が出たのは、7年後の平成4年、若貴ブームで盛り上がったときだった。ただし、この'92年版にはナンバー11でなく、新たにナンバー476が与えられている。こちらはその後の更新がなく、結局、これが最後の『大相撲大百科』となった。

1978・1・15／600円／360頁

11 60年度版

大相撲大百科

5年ぶりに更新された『大相撲大百科』のセンターに陣どるは、巨漢・小錦。前年に左下の千代の富士から金星を挙げ、初の関脇に昇進している。一方、千代の富士は前年の不調から一転、30代を迎えたこの年に4場所優勝。

1985・1・25／650円／280頁

11 55年度版

大相撲大百科

表紙左上の三重ノ海は前年の秋場所で横綱に昇進。31歳の遅咲きであったが、その後2場所連続優勝、しかしこの年の九州場所中に引退を表明する。奇しくも、「黄金の左」輪島が最後の優勝(14回目)をとげた場所である。

1980・2・10／600円／352頁

11 54年度版

大相撲大百科

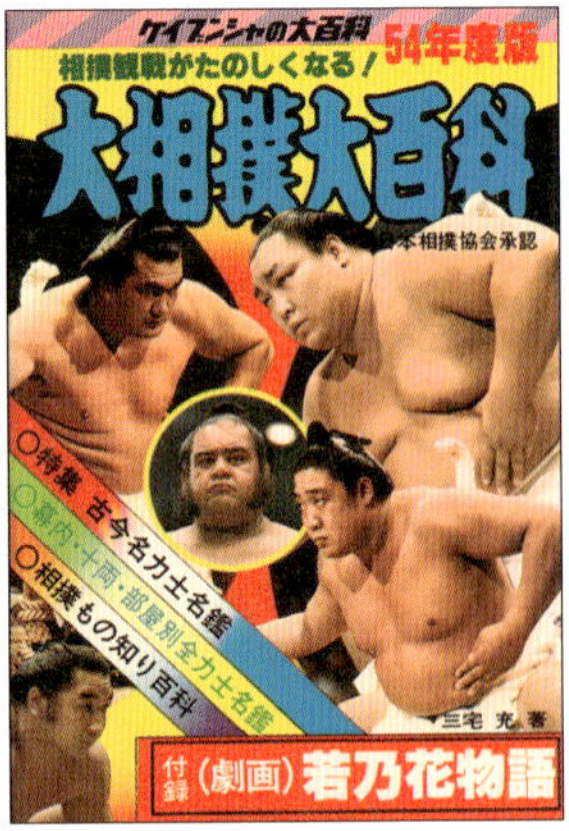

前年は北の湖が初場所から5場所連続優勝を果たすなど、圧倒的な強さを誇った。唯一の優勝を全勝でとげたのが、名古屋場所で横綱に昇進した二代目若乃花(元・若三杉)。それを祝して、劇画「若乃花物語」を巻末に掲載。

1979・2・10／600円／358頁

13 鉄道もの知り情報大百科

右の『鉄道もの知り大百科』の改訂版だが、内容は一新され、新幹線、特急、国鉄車両、私鉄、世界の鉄道、雑学というカテゴリ分類になった。開通したばかりの東北新幹線「やまびこ11号」同乗記も掲載。

1982・10・10／650円／320頁

13 鉄道もの知り大百科

南正時が、蒸気機関車、電車、新幹線、電気機関車、ディーゼル機関車、客車貨車、雑学のカテゴリ別に、鉄道に関するさまざまな豆知識を紹介した大百科。鉄道クイズも付いている。鉄道マニアの必携本だった。

1977・2・20／500円／288頁

12 世界の帆船大百科

やはりナンバーレス時代に刊行された大百科で、海洋写真家の中村庸夫が、世界の帆船149隻を紹介している。大百科シリーズで、船だけにターゲットを絞った本というのは本書一冊きりである。

1976・11・25／600円／352頁

コラム 鉄道系大百科にはスターがいた!!

鉄道系の大百科によって、子どもたちのスター的存在になったのが、鉄道写真家の南正時だ。ある時は監修者、ある時は著者、またある時はカメラマンとして、関わった鉄道系大百科は、なんと18冊(改訂版2冊を含む)にも及ぶ。そのほか『冒険カメラ大百科』でも文と構成を担当しているから、ケイブンシャに対する貢献度ははかり知れない。定番の同乗記などでは、イラストで登場しているので親しみを感じる読者も増え、本人に対する質問コーナーまで設けられるようになった。アポロキャップにTシャツ、肩からカメラバッグというスタイルはすっかりおなじみになり、それに憧れて真似をした鉄道少年やカメラ少年も多かったのではないだろうか。

14 最新版 戦闘機大百科

右の大百科の最新版。基本的な構成は変わらず、最新の兵器を追加する形になっている。巻末には「軍用機もの知り百科」として、最新鋭機の解剖図や軍用機の歴史、各国航空隊のしくみなどを掲載。

1981・11・20／650円／368頁

14 世界の空軍 戦闘機大百科

これも本来はナンバーレス時代に刊行された大百科。戦闘機、爆撃機、哨戒機、ヘリコプターなど世界各国の空軍兵器を、簡単なスペックと一言コメントという「全怪獣怪人」方式で紹介している。

1977・3・20／600円／368頁

16
算数パズル大百科

クイズ・パズル系大百科の第1号だが、内容は小学4～6年生向けの計算ドリルともいうべきもの。初期の大百科には、ほかにも図鑑形式のものなど、学習目的の真面目な本がけっこう混ざっていた。

1977･7･10／600円／352頁

15 最新版
特急・急行大百科

右の『日本の鉄道 特急・急行大百科』のリニューアル版。7年のあいだに登場した新しい車両が加えられている。東京駅と長崎駅を結んでいたブルートレイン「さくら」の4人用個室B寝台「カルテット」の同乗記を掲載。

1984･10･30／650円／280頁

15 日本の鉄道
特急・急行大百科

当時、国鉄(現JR)で運行されていた特急と急行全列車を紹介している。東京駅と西鹿児島駅の間を運行していた、日本最長の寝台特急「富士」の同乗記を掲載(ただしこの表紙はナンバーレス)。

1977･6･20／600円／352頁

18
自動車もの知り大百科

自動車に関する情報が満載された大百科。スーパーカー、レーシングラリー、乗用車、構造・法規、雑学のカテゴリに分けられている。ほかに、自動車写真の撮り方や、自動車クイズを掲載。

1977･11･25／500円／320頁

17 最新版
カメラ入門教室大百科

右の『カメラ入門教室大百科』から5年を経て刊行された最新版。カメラカタログなどが最新のものにリニューアルされた以外は、基本的な内容は前著と大差ない。値段と頁数も同じである。

1982･7･15／600円／352頁

17
カメラ入門教室大百科

写真撮影の基本から応用まで詳しく解説した大百科。風景、スポーツ、夜景などシチュエーション別の撮影技法のほか、最新カメラカタログを掲載。オカルト写真の撮り方まで紹介しているのがユニークだ。

1977･11･10／600円／352頁

19 手作りおもちゃ大百科

紙ヒコーキ・糸巻戦車・笹舟・風車・コマ・クギ刺し・ビー玉・コイン投げ・メンコ・けん玉・ヨーヨー・輪投げ・割りバシ鉄砲…。今では懐かしい遊びの数々を解説。民俗学的な考察をベースにした遠藤ケイのイラストがいい。

1977・12・10／600円／368頁

20 世界の鉄道大百科

南正時による鉄道系大百科の第5弾。ヨーロッパを現地取材するなど、海外の鉄道にまで範囲を広げているが、それ以上に日本の電気・ディーゼル機関車の紹介に力が入っている。ほかに寝台特急「出雲」同乗記など。

1978・2・20／600円／352頁

21 なぞなぞクイズ大百科

昔話、スーパーカー、ミステリー、スポーツ、乗り物などさまざまなジャンルのクイズを大量に掲載。子ども向けとは思えないようなマニアックな問題が多く、その後の大百科クイズ本の方向性を決めた一冊。

1978・3・10／600円／352頁

22 動物もの知り大百科

「ネコはなぜ顔を洗うのか」「カバの目・耳・鼻はなぜ一直線か」「ヘビは舌を出して何をしているのか」「メスの方が大きい鳥は」「ウロコのない魚はいるか」など、哺乳類から魚類まで意表をつく問題が実に楽しい。

1978・3・21／500円／304頁

24 つり入門大百科

川や湖沼での釣り、防波堤や磯、船上からの海釣り、ルアー釣りなど、シチュエーションに応じた釣りのテクニックを紹介。本書を皮切りに、釣りに関する大百科も何冊か刊行されるようになった。

1978・7・20／600円／328頁

25 スーパー・スポーツ レーシング大百科

スーパーカーから2輪まで、モータースポーツ全般を特集した大百科。もちろんF1やラリーなどの選手権も紹介。'78ヨーロッパGPの取材記事も掲載されている。著者は、鉄道写真家としても知られる真島満秀。

1978・7・25／600円／352頁

23 テレビヒーロー大百科

テレビ20年間のヒーローを網羅した保存版

昭和40年代初期のアニメヒーローたち。こうして並ぶと、体に密着したスーツやブーツなど当時のヒーロースーツのトレンドが見えてくる。

1958年の『月光仮面』から1978年の『ダイターン3』まで、20年間に登場したテレビヒーローを徹底的に紹介した大百科。
1978･6･30／600円／352頁

日本の子ども向けテレビドラマやアニメに登場した正義のヒーローたちを一冊にまとめた大百科。『全怪獣怪人大百科』でもヒーローは紹介されていたが、こちらは怪獣や怪人を省いた分、各ヒーローを2～4頁で大きく扱い、解説文も詳細になっている。また、『全怪獣怪人大百科』では対象外だった赤胴鈴之助や矢車剣之助、天馬天平《てんまてんぺい》、快傑鷹《たか》の羽《はね》といった時代劇ヒーローが紹介されているのも特徴だ。

　日本におけるスーパーヒーローの元祖である紙芝居の黄金バットや、銀幕から登場した実写スーパーヒーロー第一号のスーパー・ジャイアンツが取り上げられているのもポイントが高い。昭和30年代のテレビ黎明《れいめい》期の作品に関しても情報量が豊富で、『鉄腕アトム』と『鉄人28号』は実写版とアニメ両方の画像を並べて比較するという凝りようだし、マリンコングなどは悪の組織が造ったロボット怪獣なのに『全怪獣怪人大百科』よりも詳しく紹介されるという逆転現象が起きている。

　そのほか、『ヤッターマン』と『ジャンボーグA《エース》』の制作現場を訪問して、アニメや特撮番組が出来るまでの過程を綿密に紹介した取材記事、テレビ放送の歴史や特撮の神様・円谷英二などについて解説した雑学事典などが掲載されていて、読み応

『快傑鷹の羽』(1960年)なんていう、ほかでは扱われることの少ないレアな時代劇ヒーローも大きく紹介されているのだ。

仮面ライダー以外の東映特撮・等身大ヒーローが大集合した見開き頁。各写真の遠近感や重なりぐあいを無視した雑な並べ方も大百科らしい。

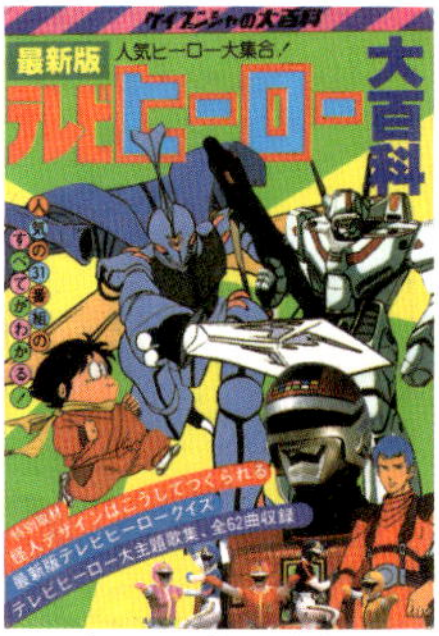

1983年には、全面改定された「最新版」が同ナンバーで発行された。こちらは人気37番組に絞られている。

1983・7・1／600円／282頁

竜の子プロの協力で、テレビアニメの製作過程が細かく紹介されている。ほかに特撮現場の取材もあり。

ウルトラファミリーのかっこいいポーズ集だけど、よく見ると表情の描き込みやデッサンなどいろいろと残念。右下のセブンのアイスラッガーの持ち方、これで合ってる？

えはたっぷり。とくに60頁にわたって巻末に掲載されているテレビヒーロー年表などは、戦後の子ども文化を一望するにはまたとない貴重な資料で、子どもだけに読ませておくのはもったいない本なのだ。

それだけに評判も良かったようで、翌年には続編として、最新作中心の『最新版 テレビヒーロー大百科』（42番）、翌々年には『テレビヒーロー大百科ＰＡＲＴ３』（64番）が刊行されている。

その後、しばらくブランクがあったが、1983年には、第4弾にあたる『最新版 テレビヒーロー大百科』が登場。ところがどういうわけか、この本には第1弾と同じ23番が与えられた。当時、『科学戦隊ダイナマン』の怪人デザインを手がけていた出渕《いづぶち》裕《ゆたか》の取材記事や主題歌集などが盛り込まれ、こちらも充実した内容に仕上がっていたが、このために第1弾が絶版となってしまったのは、なんとも惜しい。

第1弾には「もうすぐしたら、ビデオ装置も当り前……なんていう時代になるかもしれないね」みたいに、時代的にちょっと古びた文章も見られるけれども（ビデオデッキが普及し始めたのがこの時代）、同年初めまで好調に版を重ねていた。どういう理由でこんな処置がとられたのかは謎である。

26 ウルトラマン大百科

売れに売れた、大百科最大のベストセラー!!

初代ウルトラマンの活躍!　左上のウルトラ透視光線の画像はスチール写真ではなく、テレビ本編の16ミリフィルムからコマを切り出したもの。じみに凝っているのだ。

『ウルトラQ』から『ウルトラマンレオ』までの323話、430体の怪獣を掲載。当時としては、まさにウルトラシリーズに関する本の決定版だった。

1978・8・10／600円／352頁

1966年の『ウルトラQ』から74年の『ウルトラマンレオ』まで、8年間にわたるウルトラシリーズ全話を紹介した本である（『ウルトラセブン』第12話は割愛されているが、これは欠番扱いなので仕方がない）。各話のサブタイトルとあらすじ、ウルトラファミリーや登場怪獣たちのスペックはもちろん、主題歌の歌詞、放映データ、毒《どく》蝮《まむし》三《さん》太《だ》夫《ゆう》など出演俳優のプロフィールや特撮に関する制作秘話を記した「うらばなし」が掲載されていて、読み物としても資料としても充実した内容になっている。

巻頭のカラー頁も、通常は32頁のところ、64頁の大盤振る舞い。おまけに、科学特捜隊やウルトラ警備隊など怪獣対策組織のマークをかたどったシールまで付いているのだから、至れり尽くせりだ。

今なら、『円谷プロ全怪獣図鑑』なんていう便利な本もあるけれど、当時はウルトラシリーズに関する研究書はほとんどなく、特撮ファンは情報に飢えていた。じつは本書の5年前にケイブンシャは『怪獣怪人大全集』の第4巻として、折り込みグラフ形式の『ウルトラマン大百科』を出しているのだが、これは幼児向けといった感じで、エピソードごとの解説もなく、ファンにとってはちょっと物足りないものだった（128頁参照）。

カラー頁後半は各作品の傑作エピソードを紹介。『セブン』ではメトロン星人の登場する「狙われた街」とキングジョーの登場する「ウルトラ警備隊西へ」が掲載されている。

各エピソードのストーリーと登場怪獣を1話ずつ放映順に紹介。「うらばなし」として、トリビアネタが付されているのがマニア心をそそる。

「ウルトラの国物語」「レオの国物語」と題されたコミカライズ作品も掲載されている。

部下のカプセル怪獣が、敵に操られてセブンを攻撃してくるという、ある意味“ツウ好み”なエピソードで見開きを構成。

そんな時代に満を持して刊行された本書は、子どもばかりか大人までもが飛びつき、売れに売れまくった。あっという間にミリオンセラーを達成して、大百科のみならず、ケイブンシャの発行物の中で最大のヒットを記録したほどである。大百科の原稿料は印税ではなく、基本的に買い取り制だったので、ライターに還元されたという話は聞かないが、これによって大儲《もう》けしたケイブンシャは新宿の貸しオフィスを引き払い、中野に自社ビルを建設。社員のあいだでは、新社屋を「ウルトラマンビル」と呼ぶ者もいたという。

こうして本書は特撮ファンのバイブル的存在になったわけだが、中にはウルトラマンとはまったく関係ない、執筆者（酒井敏夫、中島紳助、徳木吉春）の個人的な趣味も散見できる。たとえば『ウルトラマンA《エース》』の「うらばなし」では、宇宙エースやジャンボーグAなど、「エース」と名の付くヒーローについて語られているのだが、締《し》めの言葉で「最強のヒロインは『エースをねらえ！』の岡ひろみなのだ」という具合に本筋から脱線。そもそも、「エース」と付くのはタイトルであって、主人公の名前じゃないし……。きっと執筆者が岡ひろみの熱烈なファンだったのだろうが、こんな個人的な主張が許されたのも、ケイブンシャらしい。

27 ピンクレディー大百科

これ一冊でピンク・レディーの振り付けは完璧!!

ヒット曲「サウスポー」の振り付けを写真で紹介した頁。イラストで細かく図解したコーナーも。

正しい表記は「ピンク・レディー」なのだが、表紙のタイトルにはナカグロがない。このいい加減さもケイブンシャらしい。

1978・8・15／650円／320頁

１９７６年に「ペッパー警部」でデビューするや、あっという間にトップアイドルの座にのぼりつめ、社会現象にまでなったピンク・レディー。とりわけ子どもたちからの人気は絶大で、単独芸能人を扱った最初の大百科として発売されたのが本書である。８曲目のシングル「モンスター」がリリースされた時期で、「渚のシンドバッド」や「ＵＦＯ」が大ヒットした77年に比べるとマンネリ気味になりつつあったが、それでもこの本はかなり売れたらしい。その最大の要因は、それまでの全曲の振り付けが写真やイラストで詳細に解説されていたからだろう。当時の女子からすれば、ピンク・レディーの歌を振り付けとともにマスターすることは人生の最優先課題（!?）。本書はその教本として打ってつけだったのだ。

振り付け以外にも、デビュー秘話やインタビュー、二人の経歴、性格診断、事務所やファンクラブの紹介など、ピンク・レディーに関する記事が満載。ケイはペチャパイでシリペチャ、首筋と背中がくすぐったく、ミーは出っ尻で太モモがくすぐったいとか、二人ともブラジャーとパンティーを50枚ずつ持っているとか、ちょっとエッチな情報も掲載されている。今では、二人の全盛期を知るための絶好の資料といえるだろう。

28 宇宙大百科

科学とオカルトが共存した、大百科らしい一冊

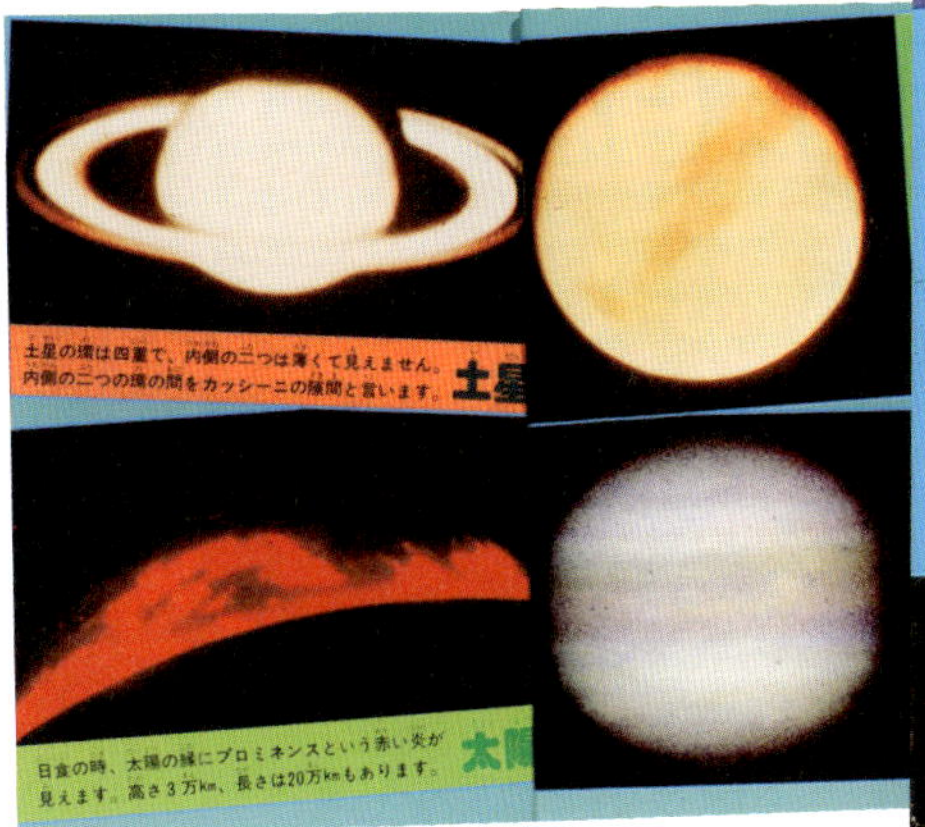

冒頭のカラーグラビアは火星・木星・土星・太陽の紹介。しかしこの後には怪しげな「UFO目撃写真」が登場する。

いかにも健全で科学的な内容を思わせる表紙だが、中身の半分は宇宙人とUFOの話なのである。

1978・10・10／600円／320頁

宇宙の誕生から星の一生、太陽系の惑星、ブラックホール、ホワイトホール、タキオン、宇宙開発史、天体観測の方法、星座の紹介……と、宇宙に関するさまざまな情報が満載された、非常にためになる大百科である。

しかしである。この本、そういった教育的な頁は全体のほぼ半分で、残り半分はなんと、宇宙人とＵＦＯに関する怪しげな記事で占められている。ＳＦ小説や映画に登場した宇宙人の紹介から古今東西のＵＦＯ目撃情報や宇宙人との遭遇事件などを多数紹介し、こちらのほうもきわめてディープでマニアックな内容になっているのだ。２０１０年までには宇宙で生活する地球人の人口が千人を越え、２０２０年頃には他の宇宙生物と親しく交際しているなどという、今からみれば笑える予言も載っている。

一方でまっとうな科学の解説をしているかと思えば、もう一方では扇情的でオカルト的な記事を掲載するというアンバランスさも大百科らしいといえるが、冒頭の何頁かをパラパラとめくってみて、これなら安心して読ませられると思った親が子どもに買い与えたら、いつのまにか子どもがＵＦＯ信者になっていたなんていうケースもあったりして……。

29 仮面ライダー大百科

これを読まずにライダーは語れなかった!!

「仮面ライダーせいぞろい」の見開き。アマゾンとストロンガーはキリヌキ合成だ。

ストーリー紹介以外にも番宣用の素材、シナリオの表紙、石森章太郎のデザインスケッチなど盛り沢山の内容だ。巻末には、ライダーXやアマゾンなどのシールも。

1978・11・10／600円／352頁

『仮面ライダー』から『仮面ライダーストロンガー』までのライダーシリーズ第一期の5作品・4年9か月分の放映を、ストーリー中心に一冊にまとめた本だ。

家庭用ビデオの普及すら覚束なかった時代であれば、物語を再現できるのは、個人の記憶か本書だけである。1号、2号、V3、ライダーマン、X、アマゾン、ストロンガーと続く、栄光の7人ライダーたちはそれぞれどうやって登場したのか、パワーアップ編も最終回の激闘も、放映順にすべての物語が掲載されている。いわばファンにとってはバイブルである。さらには劇場版と、ストロンガー最終回後のテレビスペシャルまで収録されている。

加えて、ストーリー内のミニコラム「ライダー・こぼれ話」は、子ども向けとはとても思えないコアな情報が満載だ。

「ゾル大佐役の宮口二郎、夫人は弓恵子で、ウルトラマン第7話でバラージの女王を演じた女優」

「田口勝彦監督は、『ボルテスV』、『闘将ダイモス』のシナリオライター田口章一と同一人物」

「仮面ライダーの乗るオートバイは、ホンダCB350DTを改造していたが、昭和47年7月よりスズキ・ハスラー250を中心に使用された」

旧1号のスタジオ撮りスチールでは、背景の木々の筆致もよくわかる。この撮影時には藤岡弘自らが入っていたとされる。

2号の手とカニバブラーの手の激突・対決シーンに爆発っぽい色指定を加えるのは、大百科が始まって以来の伝統だ。

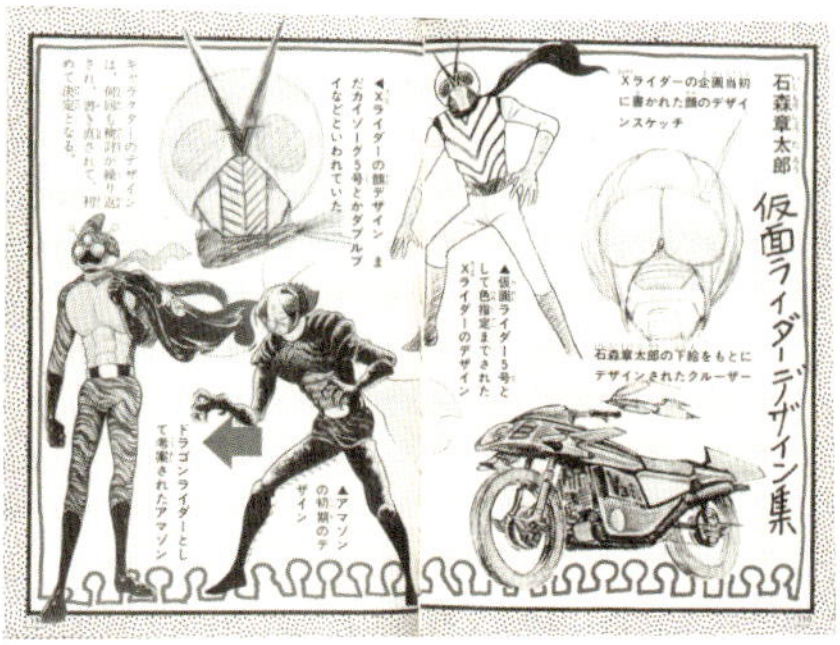

「仮面ライダーコレクション」の一環として、原作者・石森章太郎のデザインスケッチも収録。

1話ごとのストーリーに「うらばなし」を折り込んでいくのは『ウルトラマン大百科』と同じ手法だ。

「第66話67話は藤岡弘は出演していない。これは怪我や病気のためではなく、NHK『赤ひげ』の出演問題がこじれて藤岡が失踪したため。そのため、衣装のライダーが芝居をし、声はアニメファンに人気が高い市川治が吹き替えをした」

特に藤岡弘失踪事件は、一時期オミットされていた話であって、70年代末に具体的な作品名まで出して堂々と暴露してしまったことに驚く。ちなみに『赤ひげ』は、72〜73年の放映、藤岡弘は「保本登」役の予定だったらしい（実際には、あおい輝彦が演じた）。NHK出演のことが東映側に伝わっておらず、スケジュールの都合で出演を諦めざるを得なくなり、これに怒ったのか哀しんだのか失踪、藤岡隊長もまだ若かったということだろう。

本書ではまた、声優紹介として、納谷悟郎、沢りつお、槐柳二《さいかちりゅうじ》、八代駿《やしろしゅん》、峰恵研《みねえけん》など、首領や怪人の声の正体を見ることもできる。ライダーシリーズの声優陣が紹介されることは極めて稀《まれ》だった時代だ。

なお、本書は11年後に「ロングセレクトシリーズ」（大百科をB6判で再版したもの）で復刊し、そのさらに10年後に『完全復刻・仮面ライダー大百科』でまたも復刊されることになる。これほど長く売られた大百科は他にはない。

31 宇宙戦艦ヤマト大百科

巧みな構成でファンの心を鷲掴みにした決定版

冒頭のカラーグラビア32頁は名場面集になっている。

1974年から放映されたテレビシリーズのみを取り扱っているが、内容の充実度は高く、豪華設定資料集に勝るとも劣らぬ一冊である。

1979・1・5／650円／320頁

１９７４年10月から半年間放映されたテレビアニメ『宇宙戦艦ヤマト』を扱っている。『ヤマト』は本放送時は低視聴率にあえいだが、再放送などで人気が高まり、テレビ版を再編集した劇場版が77年夏に公開。その１年後に完全新作の形で公開されたのが『さらば宇宙戦艦ヤマト』だった。その大ヒットの余波が続く中、テレビ版と劇場版、一気に二冊もの大百科を同時発売したわけだ。

本文冒頭の特集、その名も「宇宙戦艦ヤマト大百科」は、全１７６頁の約三分の二が、見開き単位でカラーとモノクロの交互になっており、カラーではテレビ画面（フィルムからのデュープ写真）、次のモノクロではその画面の設定画紹介となっている。構成としては秀逸だろう。ヤマト艦載のシームレス機や円盤ヘリ等、たった一度しか登場しなかったメカまでもテレビ画面と設定画の両方が絶対的に掲載されており、何やら執念のようなものすら感じられる。

このコーナーではまた「ガミラスの生活様式」として、デスラーの邸宅、デスラーの居間、デスラーの椅子、デスラーの電話、デスラーのグラス、デスラー専用ジャングル風呂、パジャマ姿のデスラー……等々計６頁にもわたって紹介されており、さながら〝デスラー総統へのストーカー〟

32 さらば宇宙戦艦ヤマト 愛の戦士たち大百科

同時発売された本書では、マニア要素やトリビア情報は薄れ、ありがちな映画ムック的な構成になってしまっていた。
1979・1・5／650円／320頁

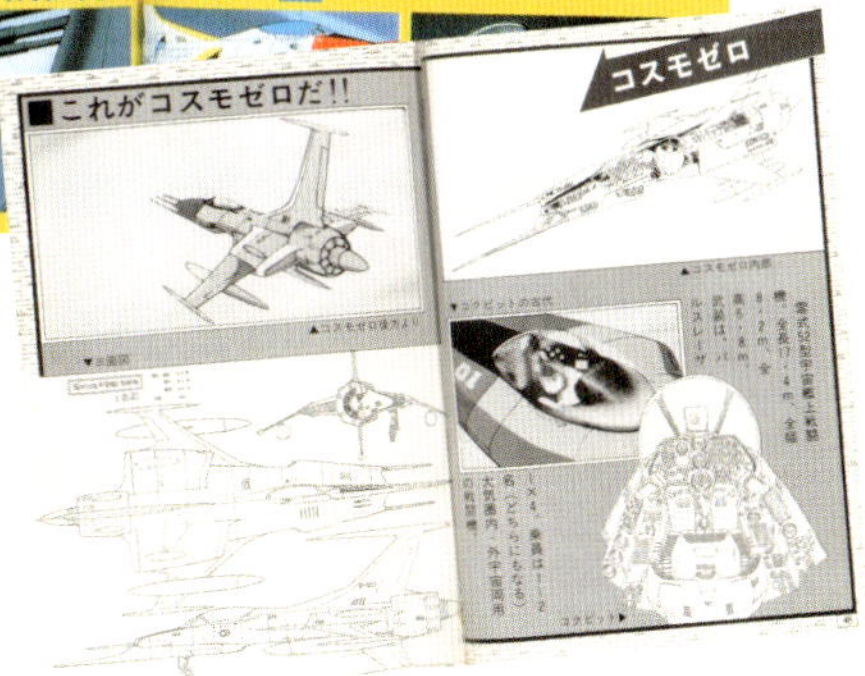

「宇宙戦艦ヤマト大百科」と題した特集では、カラー頁でテレビ画面、次のモノクロ頁でその設定画を紹介する心憎い構成になっている。

「古代たちには5つの顔がある!!」として作画スタジオのくせに着目。

状態になっている。

　こうした小物類、電話や風呂など、武器でもなければストーリーにもほぼ無関係な数々は〝ごく一部のファン〟だけが喜ぶものだったのだが、ヤマトが敷居を下げ、大百科の構成的にも、以降〝児童書が外す小ネタを入れる〟といった方向に傾倒していくことになる。

　さらに、全話紹介「誌上VTR」中のミニコラム「こぼればなし」ではトリビアが満載だ。

●ヤマトの乗務員は144名となっている。が、3話で並んだ人数を数えると300人以上いる。
●第6話のガミラス語「ツバクカンサルマ」を逆から読んでみると……。
●コスモゼロは当初ホワイトドッグ隊といったが、古代専用機になったために没。シナリオではブルーシャーク隊、ピンクパンサー隊も出る。

　巻末の「ヤマトができるまで」は、既に消滅したセルアニメの作り方であり、セル画や撮影台等の紹介は博物館で説明を受けている気分にもなる。ここでは「古代たちには5つの顔がある!!」と作画スタジオごとのキャラ筆致の違いも堂々と紹介しているが、ネタとしてはマニアックすぎるだろう。子ども向けの皮を被った熱狂ファン御用達品となっている一冊なのであった。

34
続 ピンク・レディー大百科

27『ピンクレディー大百科』の続編。その後リリースされた「透明人間」と「カメレオン・アーミー」の振り付けが掲載されている。テレビアニメ『ピンク・レディー物語 栄光の天使たち』まで紹介しているのはさすが。

1979・1・15／650円／322頁

33
パズル・クイズ大百科

パズルやクイズが満載の本。〈飛行機は初め、戦場でどんなことに使われたか? Ⓐ爆撃Ⓑ偵察Ⓒ輸送〉という問題で、答Ⓑの後に「初期の飛行機はこわれやすく空中での戦いはあまりできなかった」というような、うんちくが付いている。

1978・12・30／600円／352頁

30
ラジコン大百科

この後かなりの数発行されることになるラジコン大百科の第1弾。自動車から飛行機、ボートに至るまで、あらゆるラジコンを紹介。ただし当時のラジコンは高価で、一般の子どもには敷居の高いホビーだった。

1978・11・25／600円／336頁

36
決定版 特急大百科

おなじみ南正時が日本の国鉄、私鉄からヨーロッパの鉄道まで、寝台特急、豪華特急などさまざまなタイプの特急列車を紹介している。鉄道系大百科はこの時点ですでに6冊目と、その人気のほどをうかがわせる。

1979・2・25／600円／352頁

35
さらば宇宙戦艦ヤマト〈愛の戦士たち〉パネルブックNo.1

劇場アニメ『さらば宇宙戦艦ヤマト 愛の戦士たち』の名場面が印刷されたB4判のカードを11枚収録した出版物。「ケイブンシャの大百科別冊」と銘打たれ、他の大百科と判型も性格もまるで違うのに、ナンバー35が与えられた。「パネルブックNo.1」とあるが、続刊はない。他の大百科に広告が掲載されることがなかったため、コレクターのあいだでは、長らく欠番扱いされてきた幻の大百科である(発見の経緯は148頁参照)。

1979・1・20／880円／B4カード11枚

37 世界の謎大百科

怪奇、超常現象系大百科の第1弾。超古代文明、UFO、四次元世界、超能力、自然界の謎、怪獣・奇獣といった幅広い分野を網羅している。心霊系の恐怖譚は扱われていないが、それ以外のオカルトネタを一望するには最適の一冊といえるだろう。この後、それぞれのネタを単独でまとめた大百科が次々と発売されていくことになる。著者は、のちに『超大東亜戦争』などシミュレーション・ノベル作家として活躍する副田護。

1979・3・5／600円／352頁

かぐや姫も「宇宙よりの使者」だというのだが?

39 続 ウルトラマン大百科

26『ウルトラマン大百科』の第2弾で、こちらもかなり売れた。今回は怪獣424体に関して徹底的に特集しており、身長・体重・出身地・武器・登場話はいわずもがな、すべての怪獣の「足型」が掲載されているのがポイント。

1979・6・30／600円／352頁

38 まんが家入門大百科

マンガ家になるための基礎から高度なテクニックまでを伝授する大百科。『ゲームセンターあらし』のすがやみつるが構成と絵を担当している。しかし本書のすごいところは、講座部分をはるかに上回る分量で、手塚治虫・ちばてつや・本宮ひろ志・永井豪など多くの一流マンガ家のインタビューとその作品世界を紹介していることだ。マンガの研究書としても、非常に充実した内容なのである。

1979・5・15／600円／384頁

40 TV版 銀河鉄道999大百科

合計6冊も続いたドル箱シリーズの第1弾!!

一世を風靡した『999』をフィーチャーした第1弾。丁寧なストーリー紹介から、巻末のシールやポストカードなどの豪華付録まで、アニメファンの心をくすぐる一冊である。
1979・7・10／650円／320頁

カラーグラビア冒頭では鉄郎、メーテルらのキャラクターを紹介。

1978年のアニメ開始で人気を呼び、長期シリーズとなった『銀河鉄道999』（テレビ版全113話＋スペシャル3話＋総集編1話／劇場版2作）、その大百科もまた異例の続刊体勢となった。第1弾の本書以降、PART2の映画版（46番）、PART3の続TV版（53番）、PART4のTV版Ⅲ（60番）、TV版完結編（89番）、さよなら銀河鉄道999（95番）、と合計6冊も続くことになるのだ。

映画版があるとはいえ、単独作品でこれほど冊数を重ねた大百科は他に見当たらない。アニメブームを牽引した『999』の人気の高さと、ケイブンシャの爆進ぶりを見る思いだ。

第1弾のこの大百科では、ストーリーは第30話まで。発売日時点で（奥付の日付に準じると）放映は第39話まで進んでおり、情報としてはずいぶんと〝後追い〟ながらも、1話約4頁の配分で充実度は高い。

キャラ&メカ&停車惑星紹介では、設定画も満載、巻末には写真入りで声優紹介、文字のみでスタッフ一覧、放映リスト、主題歌がある構成。そうした作品データ類を必ず付記するというアニメ系大百科の基本フォーマットが本書でほぼ固まったといっていいだろう。それまでは声優紹介はあってもスタッフ一覧はない、主題歌はあっても

巻末にはシールや折り込みポスターも。ミニカードの裏は、カレンダーや時間割になっている。

カラー頁は本文でストーリー紹介する30話分の名場面をそれぞれ見開きで楽しめる仕掛けになっている。

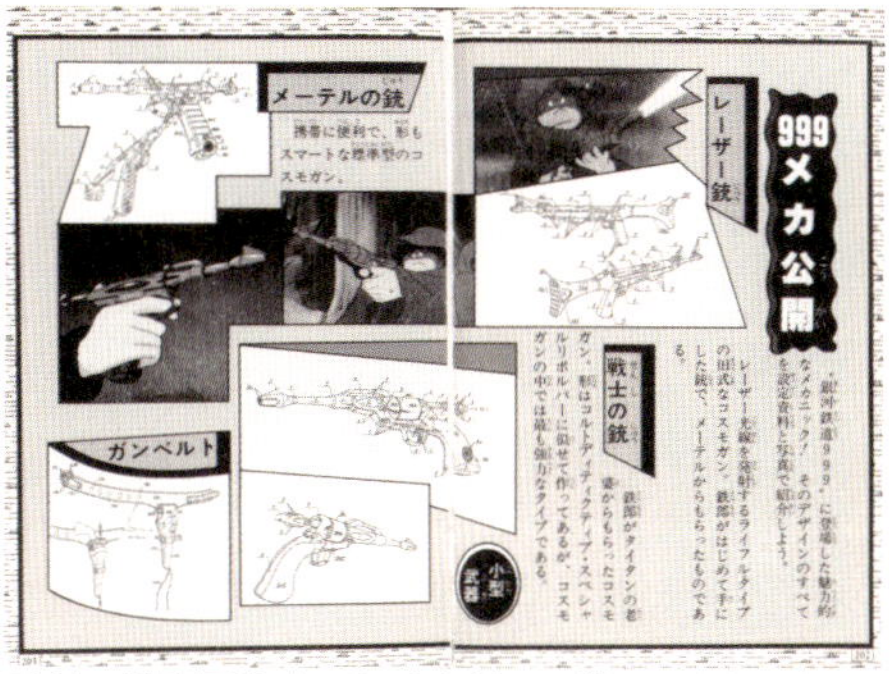

モノクロ設定画は、キャラから各種メカ、数々の小物、惑星の背景画までも掲載されている。

本文で紹介した「999性能くらべ」。どうして昔の（しかも引退した）機関車と比べるの？ と思った子どもも多かったことだろう。

放映リストはない等、かなり不統一だったのだ。

マニア受けするデータ類の充実だけではなく、絵本的要素のパワーアップもあって、それは巻末付録に如実だ。ポストカード、ミニカード、シール、折り込みポスター。ミニカードの裏は、カレンダー（1979年7月〜80年2月）や時間割、999定期のレプリカになっているといった凝りようで、まさしく子どももマニアも楽しめる一冊に仕上がっている。

興味深いのは、キャラ&メカ紹介のアタマにある「999号の性能と、すでに引退したC62の性能をくらべてみよう!!」だ。C62の欄では、重量88・8トン、全長21・5メートル、馬力1620ps、動輪直径1750ミリ、製造数49両、車軸配列2―C―2、と本物データが妙に細かく記されており、一方の999号では路線名／大銀河本線、行先／不明、時速／3000宇宙キロ、推力／200万コスモ馬力、動力／超次元機関ボイラーと、この時点でのアニメ設定が掲載されている。だが要するに何も比べていない、比較すべき項目は皆無というあたり、さすが大百科である。ちなみに、999号（動力車）がC62形蒸気機関車と同じ外見をしているということは、常識扱いだったのか、本書のどこにも書かれていない。

41 続 仮面ライダー大百科

29『仮面ライダー大百科』のベストセラーを受けての第2弾。第1期歴代ライダーの「体のひみつ」なども載っているが、特筆すべきは200頁近くにわたって紹介される「怪人名鑑」だろう。ライダーと対峙した怪人たちの武器と登場話がデータになっていて、その弱点と死に様がいちいち書かれている。いわばライダー版『全怪獣怪人大百科』である。カラー頁ではストロンガー編の最終4話も収録。

1979・7・20／600円／352頁

42 最新版 テレビヒーロー大百科

23『テレビヒーロー大百科』の好評に気をよくして、1年後に発売された第2弾。放映中の最新作品を加えたほかに、声優名鑑や円谷プロダクションの特集、主題歌集、アニメ雑学事典などの記事も掲載されている。

1979・7・30／600円／352頁

43 カラー版 昆虫大百科

国立科学博物館の動物研究部長が監修しただけあって、きわめて真面目でオーソドックスな昆虫図鑑である。巻末には、昆虫採集や昆虫飼育の方法が掲載されている。面白味には欠けるが、常備しておくと便利な本。

1979・8・10／650円／368頁

44 野外冒険大百科

19『手作りおもちゃ大百科』の著者・遠藤ケイがイラスト満載で教える、山と海での遊び方。地図の見方やシュラフの使い方、水泳の基本練習、ボートのこぎ方などにまじって、「ハチの子のとり方」などディープな項目も。

1979・8・20／600円／368頁

45 おりがみ大百科

おりがみの基礎から応用までわかりやすく解説した本で、純粋な女の子向けの大百科としては第1号である。おりがみを使った人形劇なども紹介されている。著者は日本折り紙協会の薗部光伸。

1979年／不明／不明

46 銀河鉄道999 PART-2 映画版 大百科

ゴダイゴのテーマソングも大ヒットした劇場版の大百科。これ一冊読めば映画を見なくてもいいくらいの、充実した内容。松本零士全作品リストまであり、巻末にはシール、カレンダー、ピンナップが付録されている。

1979·9·20 ／650円／336頁

47 恐竜大百科

恐竜をはじめとする古代生物220体をリアルなイラストと大百科得意のスペック（生息時期、体長、食性など）付きで解説している。恐竜に関する基礎知識や恐竜生息マップ、絶滅した原因、化石のできかた、恐竜の研究に貢献した古生物学者のプロフィール、恐竜博物館のガイドなども掲載。著者は、テレビの『恐竜探険隊ボーンフリー』の監修者としても知られる理学博士の小畠郁生。

1979·10·10 ／600円／352頁

48 星占い大百科 1980

女の子向けに書かれた星占いの本で、恋愛関係に重点が置かれている。生まれもった運勢やラブ運、男の子攻略法をアドバイス。'84年版まで毎年、新バージョンが発行されたが、大きな違いはない。著者はいずれも占星術師の紅亜里《こうあり》。

1979·11·15 ／600円／336頁

1980·10·10 ／650円／342頁

1981·10·10 ／650円／336頁

1982·9·15 ／650円／320頁

1983·10·10 ／650円／288頁

49 宇宙戦艦ヤマト テレフィーチャー版 新たなる旅立ち 大百科

一度のみの放映で、後に劇場公開されたテレビスペシャルの大百科。テレビ版第1作、映画『さらば』、テレビ版第2作のストーリーも掲載、50音順のヤマト大事典も入っている。スタッフと声優を写真付きで紹介。

1979・11・20／650円／320頁

50 サイボーグ009大百科

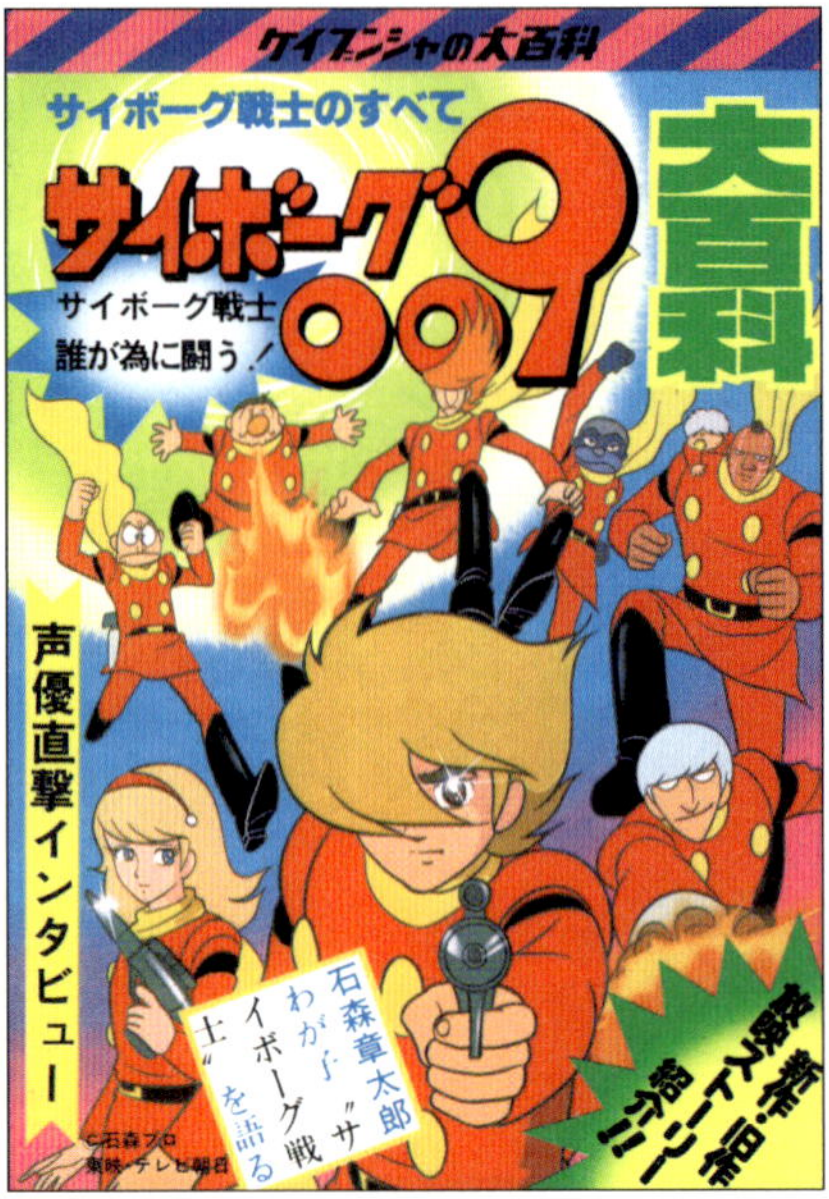

当時、11年ぶりにテレビ朝日系列で放映が始まったアニメ『サイボーグ009』の大百科。カラー頁で戦士9人とギルモア博士の名場面集、モノクロ頁で第26話までのストーリーを掲載している。後半では、1968年から半年間放映されていた旧作の全26話ストーリーとキャラクター設定、さらに67年公開の劇場版も紹介。声優インタビューやファンクラブ座談会、新旧の主題歌なども。

1979・11・30／600円／352頁

51 推理クイズ大百科

「クイズやパズルを解きながら、名探偵の訓練をやろう」という趣旨の本。巻末には、フィクションの探偵も紹介されているが、ホームズやルパン、明智小五郎、金田一耕助といった有名どころのみである。

1979・12・25／600円／324頁

52 お料理大百科

45『おりがみ』48『星占い』につづく、女の子向け大百科の第3弾。クッキーなどのお菓子から揚げ物など本格的な料理まで、さまざまなレシピをイラストでやさしく解説している。女の子ものは入手が難しいアイテムだ。

不明／不明／不明

53 銀河鉄道999 PART3 続TV版 大百科

999の3冊目の大百科で、テレビ版としては2冊目にあたる。第31～50話までのストーリー、キャラ&メカを網羅。毎回のゲスト声優をすべて本人の写真入りで紹介している。アフレコ風景も取材。

1980・1・10／650円／320頁

54 決定版 不滅のSL 蒸気機関車大百科

南正時によるSLの大百科。なかでも、C57が牽引する山口線の「SLやまぐち号」を徹底的に紹介している。この列車は、同線で一度は終了した蒸気機関車の運行を地元やファンの要望に応えて1979年に復活したもので、現在も存続中。そのほか、世界の蒸気機関車名鑑も掲載。付録として、C57と「デゴイチ」の愛称で親しまれたD51の三つ折りポスターが付いていた。

1980･2･25／600円／326頁

55 ヒーロークイズ大百科

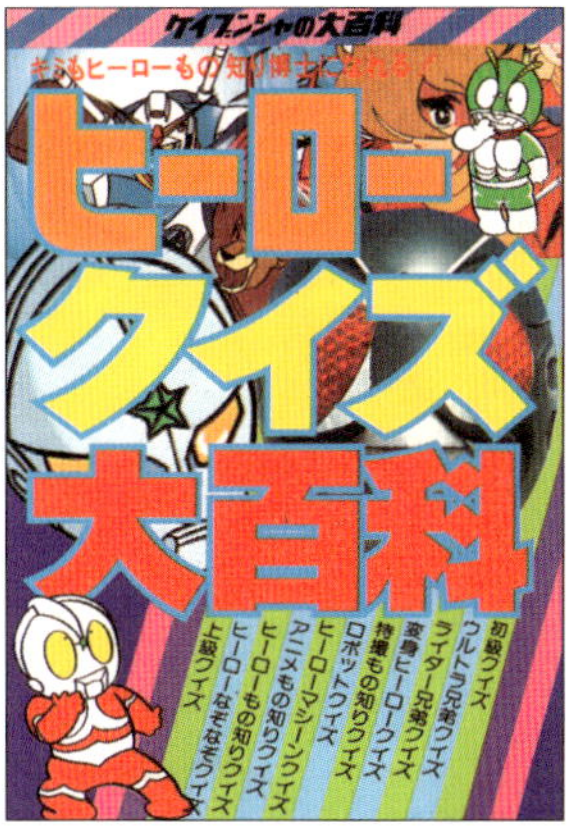

アニメや特撮のヒーローに関するクイズを満載した大百科。初級・中級・上級とレベル分けされているが、上級になると、よほどのマニアでないと答えられない難問が並んでいる。全部答えられたら、あなたも立派なオタクだ！

1980･3･25／600円／336頁

56 映画版 あしたのジョー大百科

映画版の『あしたのジョー』は、1970年に放映されたテレビアニメを再編集し、力石との死闘までを描いたもの。その公開に合わせて発売されたのが本書である。ストーリーダイジェストのほか、高森朝雄（梶原一騎）・ちばてつやの世界を特集。二人のロングインビューは必見だ。矢吹丈の戦いの軌跡や必殺テクニックも掲載されている。『あしたのジョー』はこの後93番で映画版の第2弾を紹介している。

1980･3･25／650円／320頁

57 火の鳥2772 愛のコスモゾーン大百科

手塚治虫が原案・構成・総監督を手がけた劇場用アニメ『火の鳥2772』の公開に合わせて発売された。ストーリーダイジェストが中心だ。ちなみにこの作品は劇場版オリジナルで、原作のコミックは存在しない。

1980･5･5／650円／326頁

58 ヒーローマシーン必殺技大百科

メカと必殺技！少年の夢をかなえてくれた一冊

巻頭のカラー頁は、このようなスチール写真で構成したものと、主題歌が流れるテレビ画面をコマ割りで見せるものと2種類あり。

アニメや特撮ヒーローの武器・技、スーパーメカにスポットを当てた大百科。前後の大百科と比べて、いちだんと厚いのも魅力的だ。

1980・5・25／670円／384頁

特撮やアニメのヒーローに関する大百科はすでに何冊も刊行されていたが、他社からも類書が多数発行されるようになると、たんに物語やキャラクターを紹介しているだけの本では読者もあきたらなくなり、よりマニアックな内容が求められるようになってくる。そんなニーズに応えるべく登場したのが、メカと必殺技の紹介に特化した本書である。

対象となっているのは、『電子戦隊デンジマン』や『オタスケマン』、『トライダーG7』、『ガッチャマンF』など、当時放映中だった新番組が中心だが、歴代のウルトラマンや仮面ライダー、『機動戦士ガンダム』、『マジンガーZ』、『人造人間キカイダー』など過去の人気番組もしっかりフォローしている。

ただし、放送が開始されたばかりの『ウルトラマン80』などは情報収集が間に合わなかったようで、巻頭に掲載されているにもかかわらず、肝心の技に関する説明は皆無。最大の必殺技であるサクシウム光線の名前すら載っていない。『宇宙大帝ゴッドシグマ』もセル画はほんの一部で、変形合体シーンや武器などは描き下ろしのイラストで説明されている有様だ。また、過去の作品でも、『UFOロボ グレンダイザー』の必殺技スペース

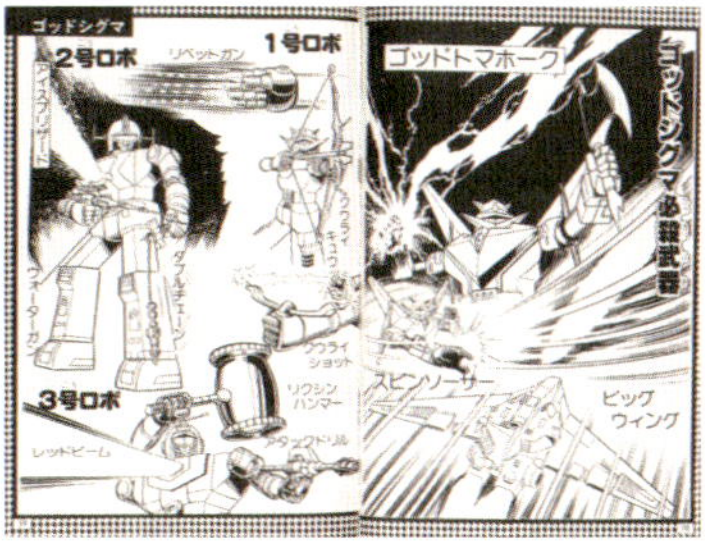

カラー頁で登場した『宇宙大帝ゴッドシグマ』だが、必殺技を紹介するモノクロ頁では、本家の絵ではなく、描き下ろしのイラストで説明されているあたり、苦労がうかがえる。

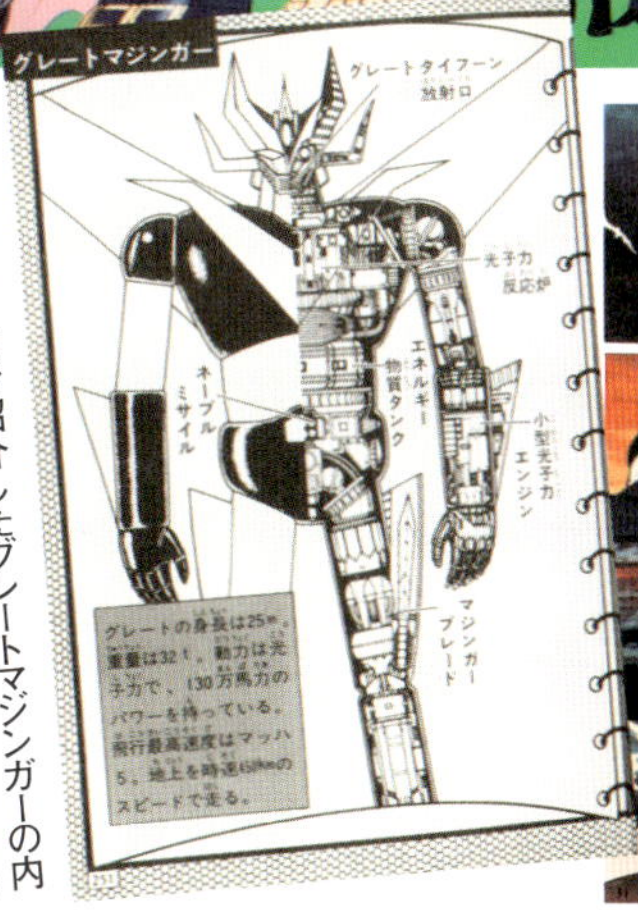

カラー頁で紹介したグレートマジンガーの内部はこのようになっている。メカ好きにはたまらない一冊だ。

サンダーがスペースサイダーなんて清涼飲料水みたいな名前に誤植されているのが笑える。

それでも、この本はかなり売れたようで、初版が刊行されたのは１９８０年なのに、平成に入ってからも増刷を重ねるほどのロングセラーとなった（それでもスペースサイダーはそのまま）。

その人気の要因はなんといっても、「分解図」と銘打たれたメカの内部図解にあるといえるだろう。この本では、ダイデンジン、ガンダム、大鉄人17、コンバトラーV、グレートマジンガー、ゲッターロボ、ジャンボーグAなどの巨大ロボットをはじめ、スカイライダー、サイボーグ００７、キカイダーといった等身大ヒーロー、さらには、デンジタイガー、ホワイトベース、ドルフィン号、スパイダーマシンGP-7……といったメカの内部が引き出し線付きで詳細に解説されているのだ。

男の子というのはいつの時代も機械が大好きだ。とくに内部図解なんてものが載っていれば、何時間でも飽きずに眺めていられる。それが満載されている本書はまさに、少年たちの願望をかなえてくれた夢のような本だったのである。

なお、１９８９年には続編として、390『'90年度版ヒーローマシン必殺技大百科』が発行されている。

61 55年度版 野球もの知り記録大百科

プロ野球の記録に徹底的にこだわって作られた大百科。打撃編、守備編、チーム編と3つのカテゴリに分類され、それぞれの記録を紹介している。55年度版とあるが、ほかの年度版は発売されていない。

1980･6･15／600円／342頁

60 銀河鉄道999 PART4 TV版Ⅲ 大百科

999の通算4冊目、テレビ版の3冊目。第51～65話までを紹介、たった15話分で一冊のため、すべての使用写真が大きく（声優写真含む）、水増し感が強いが、今となれば写真資料として貴重だ。

1980･6･15／650円／334頁

59 特急もの知り大百科

ご存じ南正時による鉄道系大百科。国鉄、私鉄、国内外問わず、特急に関するあらゆる豆知識を収録。大阪～青森間を走っていた日本一のロングラン昼行特急「白鳥」の同乗記も掲載されている。

1980･5･25／600円／352頁

63 キャンディ♥キャンディ大百科

アニメ版『キャンディ♥キャンディ』のストーリーやキャラクターを紹介した大百科。ただし後半はキャンディが看護婦ということでこじつけ気味にケガの応急処置を載せたりして、資料性はいま一つ。ただ『キャンディ』は原作者の水木杏子と漫画家のいがらしゆみことの間で著作権をめぐる裁判が起こり、アニメも再放送のめどがたたない状況のため、本書も入手困難なお宝になっている。

1980･6･25／650円／320頁

62 新 仮面ライダー大百科

約4年ぶりに復活した仮面ライダーの新シリーズ『スカイライダー』の第28話までが紹介されている。細井雄二によるコミカライズは歴代ライダーの決戦秘話で、テレビにはなかった2号ライダー誕生編も描かれている。

1980･6･25／650円／352頁

64 テレビヒーロー大百科 PART3

『伝説巨神イデオン』『ウルトラマン80』『機動戦士ガンダム』『闘士ゴーディアン』『電子戦隊デンジマン』など当時の最新作を中心に紹介。ほかに、「竜の子プロダクションのすべて！」「サンダーバード超メカの秘密」などの特集記事も掲載されているが、なんといっても目玉は、未製作に終わったピー・プロダクションの特撮作品『シルバージャガー』の特集だろう。

1980・7・25／650円／352頁

65 松本零士大百科

漫画家単独の大百科はこれ一冊のみである。『キャプテンハーロック』『999』『ヤマト』は当然として、四畳半の部屋で自生したサルマタケがブームになった『男おいどん』や『聖凡人伝』ら、わびしい青春物もしっかり紹介されている。

1980・8・15／650円／320頁

66 手芸大百科

女の子向けの大百科。刺繍やペーパードールなど、25種類の手芸をイラストでわかりやすく解説している。手芸を楽しむための材料や用具も紹介。大人になってからも役立ちそうな本である。

1980年／不明／不明

67 ウルトラマン80大百科

当時、テレビ放送中だった『ウルトラマン80』の大百科。メインの企画は誌上VTRだが、第18話までしか掲載されていないのが残念。残りのエピソードは1991年発行の472『ウルトラマン80大百科』でカバーしている。

1980・9・25／650円／320頁

68 ヤマトよ永遠《とわ》に大百科

ヤマト劇場版3作目の大百科。ヤマトの大百科としては4冊目になる。キャラ&メカ紹介は設定画がメインで、マニア向けだ。声優・スタッフ紹介も充実、巻末プレゼントは500名にも当たる豪華ぶりだ。

1980・10・20／650円／320頁

69 マジンガーZ大百科

なぜか唐突によみがえった懐かしのヒーロー!!

弓さやかの紹介頁にはなぜか入浴シーンが。「悪を憎む正義の二人」という見出しにはそぐわないような。

劇場版も新作もないのに出た"懐かしアニメ"の大百科。売れたら過去の人気作を大百科にするつもりだったのかも!?
1980・10・25／650円／320頁

アニメ『マジンガーZ』の放映終了は1974年。6年も経って出されたのは、発売年（80年）がヒーロー物のリバイバルブームだったからだろうか。全話のフィルムを借りて作られたと思われる労作だ。キャラ&メカが実際に放映された画像で紹介されているという点は貴重である（後に幾多も出る資料本では、キャラや機械獣は、設定画とラフデザイン画での紹介になることが多い）。

本文冒頭は「傑作ストーリー」であり、各話10頁ずつも割いて紹介されている。第1、2話（登場前後編）、34話（スクランダー登場編）、38話（ミネルバX編）、57話（『マジンガーZ対ドクターヘル』の題名で劇場公開された一編）、61話（ラインX編）、78話（あしゅら男爵の最期）、91、92話（最終回前後編）と、ハズレのないチョイスだ。

カラー頁の弓さやかの紹介では、マイクロミニの新戦闘服と入浴シーンのみ。資料的には旧戦闘服も重要なのだが、割愛されてしまったのは肌を露出していないからだろう。つまり色っぽくないからダメ、資料性よりも需要を重んじる編集方針であったのだ。しかし新戦闘服のパンチラシーンまでは載っていない。ケイブンシャの倫理観を知る上で興味深い一冊だ。

72 オタスケマン大百科

『タイムボカン』から『ヤッターマン』『ゼンダマン』を経て『タイムパトロール隊オタスケマン』に至るタイムボカンシリーズの大百科。表紙の「腸がよじれる歯が抜ける ブタも笑ってずり落ちる!」というコピーがすごい。

1980·11·25／650円／320頁

71 拳銃マシン・ガン大百科

世界中の銃のカタログを中心に、銃に関する基礎知識・雑学をまとめた本。ビリー・ザ・キッドなど西部のガンマンも映画にからめて紹介している。著者は、東京都ライフル射撃協会理事長でもあった岩堂憲人。

1980·11·25／650円／320頁

70 鉄道模型大百科

Nゲージと呼ばれる鉄道模型の大百科。根強い固定読者がいたのか、この後も定期的に発売されているジャンルだ。車両のカタログやレイアウトの作り方、車両編成に至るまで丁寧に解説されている。

1980·11·20／650円／320頁

75 ヒーローなぞなぞクイズ大百科

サブタイトルに「ヒーロークイズPART2」とあるように、55『ヒーロークイズ大百科』の第2弾。前著に比べると、難易度は低め。作品とは関係のないこじつけ気味のなぞなぞが目立っている。

1981·2·10／650円／328頁

74 サイボーグ009 超銀河伝説大百科

前年の暮れに公開された劇場版アニメ『サイボーグ009 超銀河伝説』の大百科。ストーリー紹介のほか、石森章太郎インタビュー、設定資料集などを収録。ファン座談会では10代前半なのに、マニアック発言が連発だ。

1981·1·20／650円／320頁

73 決定版 全私鉄大百科

当時、日本で運行されていたすべての私鉄を網羅している。個性豊かな特急列車からローカル私鉄、路面電車まで。今では廃止された蒲原鉄道や有田鉄道、加悦鉄道などの在りし日の雄姿が記録されているのが感慨深い。

1980·12·10／650円／320頁

76 全アニメ大百科

まさに偉業、と呼ぶべき画期的なアニメ事典!!

『名犬ジョリイ』は「魔犬」と呼ばれ恐れられている野犬と孤児の少年が、母を探す旅に出る話。『ヤットデタマン』はタツノコプロ製作「タイムボカンシリーズ」の第5作。

まさしく日本の“全”アニメを紹介した一冊。作品データで楽しんでもよし、懐かし写真で楽しんでもよし。

1981・2・20／650円／448頁

57年度版の『全怪獣怪人大百科』からアニメ部門が外され、そして本書が登場した。だがコンセプトは『全怪獣』とは大きく異なり、キャラクター個々を解説するのではなく、アニメ作品そのもののデータ本である。

1957年の東映動画第一作『こねこのらくがき』から、81年春（当時最新）の『名犬ジョリイ』まで、古今のジャパニメーションがすべて収録されている画期的な一冊である。最新項目（81年）が冒頭にあるので、頁を追うごとに時代を遡っていくことになる構成だ。

『仙人部落』のような（オタク受けしなそうな）マイナー作品や、『恐竜大戦争アイゼンボーグ』のような実写＋アニメ作品まで掲載されているのが素晴らしい。当時はアニメ各社の作品を並列して完全紹介する本はなく、放映期間やスタッフ、声優、作監がすぐに調べられる本書はアニメファンの間で資料としてとても重宝された。

テレビアニメ、テレビスペシャル、劇場版と、大きく三章立ての構成であり、巻末には「日本のアニメの歩み」「自作アニメを作ってみよう」「アニメ用語事典」等の特集記事も付記。版権枠をクロスオーバーすることが得意なケイブンシャならではの力作、現在では版権料だけで大赤字必至だ。

76 '84年版

全アニメ大百科

この4冊目から、年度表記を和暦から西暦に変更。大友克洋が参画した角川映画『幻魔大戦』のメンバーに、『魔法の天使クリィミーマミ』やパーマン、鹿島みゆき(『みゆき』)らが加わっているような表紙がイカス。

1984･1･25／650円／288頁

76 58年度版

全アニメ大百科

最新作は横山隆一の『フクちゃん』なのだが、オタク受けしないと判断したのか、放映的には1か月早い『超時空要塞マクロス』が本文冒頭になっている。表紙メインは『銀河烈風バクシンガー』と『六神合体ゴッドマーズ』だ。

1982･12･30／650円／320頁

76 57年度版

全アニメ大百科

いよいよ本格年度版となった全アニメ大百科、1981年秋の新番組までを新しく加えている。最新作として『太陽の牙ダグラム』を紹介。表紙には『宇宙戦士バルディオス』や『機動戦士ガンダム』が見える。

1982･1･20／650円／384頁

76 '87年版

全アニメ大百科

表紙のメインが1年も放映しなかった『剛Q超児イッキマン』というところが大百科らしい。近未来の地球が舞台のスポーツアニメだ。右下には『天空の城ラピュタ』のシータも。7年間続いた『全アニメ大百科』の最終巻。

1987･2･5／680円／248頁

76 '86年版

全アニメ大百科

表紙のメインは名作『タッチ』の浅倉南。85年3月から2年間にわたって放映され、常に視聴率20%以上の人気番組だった。左下に『魔法のスターマジカルエミ』の香月舞、右上にOVA作品の『幻夢戦記レダ』。

1986･2･1／650円／288頁

76 '85年版

全アニメ大百科

この年度版よりOVAが項目として加わることになる。表紙メインは、富野由悠季監督のロボットアニメ『重戦機エルガイム』で主人公が乗るエルガイムMk-IIだ。右下に『名探偵ホームズ』、左上に『Gu-Guガンモ』など。

1985･1･30／650円／288頁

78 テレビ版 機動戦士ガンダム大百科

沸騰したガンダム人気を背に破竹のベストセラー!!

ガンダムがビームサーベルをかまえた迫力のカバーイラストは、ガンダムのメカデザイナー大河原邦男の描き下ろしだ！

1981・3・20／650円／320頁

永遠のライバル、アムロとシャアの名場面紹介頁。キャプションが名セリフ集になっている。たとえば左上の写真は「貴様だって……ニュータイプだろうに！」

『ガンダム』シリーズの最初の大百科で、テレビ版第1作をフィーチャーしている。

この作品、いわゆるファーストガンダムは、ファンの方ならよくご存じの通り１９７９年の本放送当時は平均視聴率５・３％と人気がふるわず、当初52話放送の予定が43話で打ち切りとなった。ところが放送終了直後から口コミで人気が急上昇し、81年には映画版の公開も決定。そのタイミングで出されたのがこの大百科だ。

内容は、まず巻頭カラーで全話から選び抜いた名場面を紹介している。ガンダムが水爆ミサイルをたたき斬った25話の名シーンや、18話でアッザムが放った４０００度の灼熱《しゃくねつ》攻撃アッザム・リーダーの紹介なんかはいいとして、中には相当マニアックなチョイスがなされた頁もある。

「滅びゆくザビ家」と題された見開きではデギンの最期、ギレンの最期、キシリアの最期と、ジオン公国の支配者たちの最期の瞬間を、それぞれ本編のフィルムからわざわざコマを切り出してきて紹介するというこだわりようだ。

またカイとミハルという脇役たちの悲恋のサイドストーリーをフィーチャーした見開きも渋い。この話、確かに泣けるエピソードではあったけど、64頁しかない巻頭カラーで２頁も割いてやる!?と

文庫本サイズの狭い面積の中に、これでもかとイラストと情報が詰め込まれている。子ども向けの本としては、当時はこれもかなり思い切った構成だった。

ネットのない時代、こうした主題歌の紹介頁も貴重な資料だった。別頁ではエンディング曲『永遠にアムロ』の歌詞も掲載!!

巻末ではツクダホビーが出していたダイキャスト製のメタルコレクションを子どもが色塗りする企画も。

ガンダムのキャラクターデザインを手がけた安彦良和のイラストをギャラリー風に紹介。このイラスト、ほかで見たことがないんだけど、もしかして描き下ろしか。

いう通好みなコーナーである。

そんなこだわりは本文頁でも発揮され、登場人物とメカ紹介の頁では、線画の設定資料が狭いスペースにこれでもかというくらいギチギチに詰め込まれている。また巻末には「ガンダム雑学事典」と題してガンダムの難解な設定をQ&A形式でわかりやすく解説するコーナーがあったり、キャラデザインを手がけた安彦良和のインタビューも収録されている。

ガンダムの奥深い世界観はアニメ本編を見ただけではほとんどわからないが、この本を読めばそれがよくわかる。まさに〝大百科〟の名にふさわしい一冊がこの本だったのだ。

140頁の網島理友氏のインタビューにあるように、この本の執筆を担当したのはガンダムマニアの学生ライターたちだった。それだけにこの作品の魅力のツボをぬかりなく押さえていたということだろう。

一方で、子どもの読者を置き去りにしたような難解な表現も随所に見られるが、そんな大人扱いされた感覚もむしろ子どもたちにはご褒美《ほうび》だったのかもしれない。結果、この本は売れに売れ、増刷を重ねた。正確な数字は不明だが、一説には400万部以上売れたともいわれている。

79
太陽の使者 鉄人28号大百科

鉄人28号というと、1963年のテレビアニメや60年の実写版、あるいは横山光輝の原作を思い浮かべる人が多いかもしれないが、本書で扱われているのは、80～81年に日本テレビ系で放映され、のちに『太陽の使者 鉄人28号』と命名された新作アニメのほうである。しかも当時放映中だったため、紹介されているのは全51話のうち第25話まで。旧作や原作については簡単に触れられているだけだ。

1981・4・25／650円／320頁

77
最新版 特急大百科

36『決定版 特急大百科』や59『特急もの知り大百科』の最新版だが、著者は南正時ではなく、写真は真島満秀、文は松尾定行が担当。国鉄の特急だけで一冊大百科を作れてしまうことに時代を感じる。

1981・3・10／650円／320頁

81
機動戦士ガンダム大百科 映画版

1981年3月に公開された劇場版第1作を紹介。本文288頁のうち約半分の128頁を割いて映画のシナリオ（アフレコ台本）を完全収録。後半はガンダム名言集や、誰が書いたかアムロとシャアの日記など。また「初級SF入門講座」として、ガンダムのモチーフとなったハインライン著『宇宙の戦士』やスペースコロニーオニール計画を取り上げている。ニュータイプに関する考察も読みごたえあり。

1981・5・15／650円／320頁

80
川づり大百科

河や湖沼での釣りに特化した大百科。アユ、ウグイ、ニジマス、ブラックバスなど、魚ごとの釣り方を詳しく解説している。「川づりもの知り」として、世界一の川魚やフライ・タイイングなども紹介。

1981・4・25／650円／320頁

82 仮面ライダー スーパー1大百科

9号ライダー「スーパー1」の大百科。第22話までの紹介で、後半の新組織ジンドグマはカラーで少しだけ出ている。コミカライズは山田ゴロ(本文イラストも担当)、スパイダーババンとの対決編は必見だ。

1981･5･20／650円／320頁

83 レッツGO! 巨人軍大百科

プロ野球の巨人軍にだけスポットを当てた大百科の第1弾。当時の巨人は、原辰徳が入団し、江川、中畑、定岡という人気選手も在籍していた。選手名鑑のほか、巨人に関するもの知り情報、記録集、歴史などを収録。

1981･6･10／650円／320頁

84 決定版 カブト・クワガタ大百科

昆虫の中でも、子どもたちにもっとも人気のあるカブトムシとクワガタを徹底的に解説した大百科。世界中のカブト・クワガタの名鑑や、採取法、飼育法などを掲載している。監修は昆虫写真家の海野和男。

1981･6･20／650円／320頁

85 ヒーローロボット大百科 PART-2

『機動戦士ガンダム』『伝説巨神イデオン』『太陽戦隊サンバルカン』『無敵ロボ トライダーG7』『Xボンバー』『スパイダーマン』などに登場した21大ロボットを紹介。巻末には、アニメロボット年表や世界のかわりだねロボットを掲載。

1981･6･20／650円／320頁

86 カラー版 野鳥大百科

8『カラー版 野生動物大百科』などと同じく、オールカラーの図鑑形式大百科。世界の野鳥728種類をカラーで紹介しているほか、野鳥雑学辞典を掲載。生物学者の斎藤隆史が監修にあたっている。

1981･7･25／650円／360頁

87 サイボーグ009 テレビ版完結編 大百科

50『サイボーグ009大百科』の続編。1980年に完結した新作版全話のストーリーダイジェストが掲載されているが、前回紹介しきれなかった第27〜50話に関しては1話4頁以上を割いていて、内容が濃い。

1981･7･20／650円／320頁

88 手づくりおもちゃ大百科 PART2

遠藤ケイによるイラスト版のおもちゃ作り第2弾だが、前作のような素朴な遊びはほとんどない。のっけからノコギリやカナヅチの使い方を伝授、作るのも廃材でゴーカートとか、電動消しゴム、果てはギターまでレベル高し。

1981・7・20／650円／320頁

89 銀河鉄道999 TV版完結編 大百科

999のテレビシリーズ最終巻。第66〜113話(最終回)までの紹介で、話数が多いために本文の大部分がストーリーになっている。テレビスペシャルは割愛されてしまった。巻末には全話リスト付き。

1981・8・5／650円／320頁

90 鉄道写真大百科

おなじみの鉄道写真家・南正時が、鉄道写真を撮る際のマナーから機材、服装、テクニック、全国の撮影ポイントに至るまで懇切丁寧に解説した大百科。まさに「撮り鉄」のバイブルといえる一冊だ。

1981・8・15／650円／320頁

91 最新兵器大百科

当時の世界各国の最新兵器を空海陸、ミサイル、電子兵器といったカテゴリに分類し、データ重視のカタログ形式で紹介。ここらがケイブンシャらしい。著者は、71『拳銃マシン・ガン大百科』と同じく岩堂憲人。

1981・8・15／650円／320頁

92 機動戦士ガンダムII 哀戦士編 大百科

劇場版ガンダム2作目の大百科。「青少年おとなのための講座」では、「アムロ・レイ精神分析講座」「カイ&ミハル恋愛実践講座」「ランバ・ラル男性構造学講座」など、真面目にキャラの行動を分析してみせた。

1981・9・15／650円／320頁

93 映画版 あしたのジョー2大百科

この年公開された劇場版『あしたのジョー2』は、力石徹の死をのりこえて復活したジョーがホセ・メンドーサと死闘を繰り広げるまでを描く。梶原一騎が本書中で「嫌いなんですよ僕は、スポ根っていうものが」と爆弾発言。

1981・9・10／650円／320頁

94 松田聖子 野菊の墓大百科

デビューから2年目、トップアイドルになった松田聖子の初主演映画『野菊の墓』の大百科。ほぼすべてがフィルムストーリーで占められ、随所に聖子が書いたという撮影日記が挿入されているが、文体から推してたぶん本人は書いていないだろう。シールやカレンダーも付いているが、聖子人気に反して、売れ行きはさっぱりだったようで、以降アイドル映画の大百科は出ていない。

1981・9・20／600円／270頁

95 さよなら銀河鉄道999大百科

合計6冊も続いた999の大百科も、ついに本書で完結。劇場版2作目の大百科で、ストーリーはシナリオを完全掲載。999に関する有名人アンケート(小森和子、小林亜星、大林宣彦らが回答)もある力作。

1981・10・5／650円／320頁

96 名探偵推理クイズ大百科

ミステリ小説に登場する明智小五郎やホームズ、エラリー・クイーンなどおなじみの名探偵を推理クイズとともに紹介した大百科。木々高太郎が創造した大心地《おおごころち》先生、ガボリオが創造したルコック刑事、J・J・マリックが創造したジョージ・ギデオンなど、当時入手困難だった作品の探偵たちまで言及しているあたり、かなりマニアックだが、名作ミステリのトリックが大量に明かされているのは問題だ。

1981・10・15／650円／328頁

97 あこがれの職業大百科

女の子にとっての「あこがれの職業」に就く方法を解説。定番の保母や看護婦、スチュワーデス、デザイナー、歌手にまじって、ケイブンシャらしくマンガ家やアニメーター、声優もちゃんとフォローしている。

1981・11・15／650円／304頁

98 スペース・シャトルのすべて
宇宙大百科 パート2

28『宇宙大百科』の第2弾。NASAが1981年4月(本書発行の半年前)から打ち上げを開始したスペース・シャトルを特集。ほかに宇宙開発の年表や宇宙SF映画の紹介、宇宙飛行士名鑑などが付いている。

1981・11・15／650円／320頁

99
天体★星座大百科

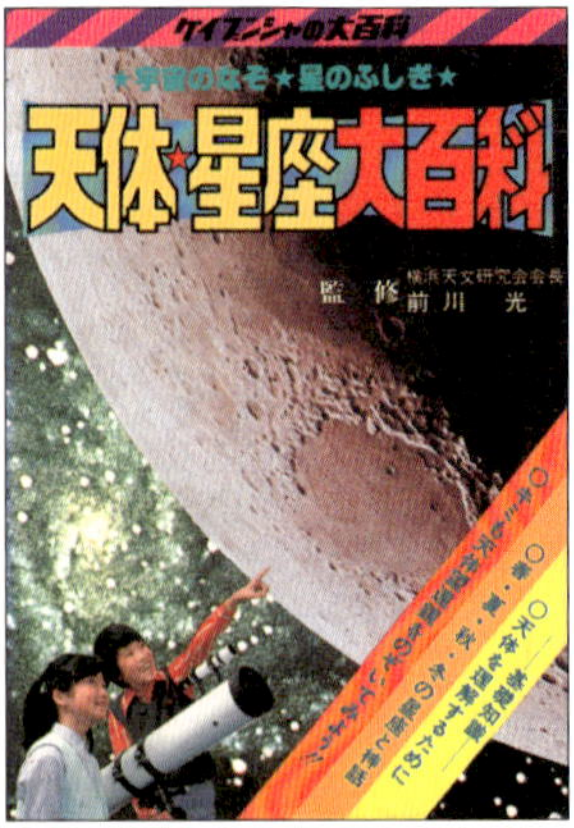

横浜天文研究会会長の前川光が監修にあたった、天体観測の大百科。太陽系の惑星やその他の天体、88の星座を詳しく解説している。天体望遠鏡に関する知識や観測方法、星座にまつわる神話なども掲載。

1981・12・10／650円／320頁

100
プラモデル入門大百科

プラモデルの製作テクニックを基礎から応用、ジオラマ作りまで詳しく解説。プラモを仮想空間で戦わせる、という設定で大人気となった『プラモ狂四郎』の連載が『コミックボンボン』で始まるのは本書発売の1か月後である。

1981・12・20／650円／320頁

101
プロレス大百科

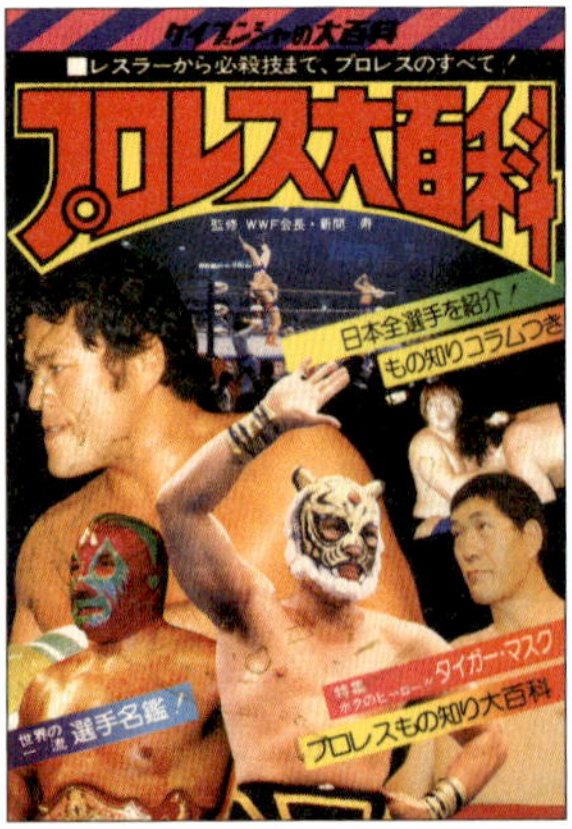

タイガーマスクの登場で人気が高まったプロレスを特集した大百科。監修は新日本プロレスの新間寿だが、全日本や国際のレスラーも大きく紹介。レスラー名鑑を中心に、プロレスの歴史や必殺技が解説されている。

1981・12・20／650円／320頁

102
手品・ゲーム大百科

子どもでも簡単にマスターできる身近な道具を使ったマジックや、みんなで楽しめるパーティーゲームを紹介した大百科。この本で覚えたマジックを披露して、クラスの人気者になった読者も多いハズ。

1982・1・20／650円／320頁

103 TV版
宇宙戦士バルディオス大百科

第31話で突如の放映打ち切り、未完となったバルディオスの大百科。未放映分を含めた全39話の完全版ストーリーが紹介されているのがうれしい(ただし35話からは脚本と絵コンテしかない)。

1982・1・20／650円／320頁

104 映画版
宇宙戦士バルディオス大百科

ファンの声で実現した劇場版バルディオスの大百科。美術にスポットを当て、背景画特集、美術監督取材というケイブンシャらしいニッチな企画が楽しい。映画のシナリオを完全再録している。

1982・2・15／650円／320頁

105 一休さん
とんちクイズ大百科

テレビの人気長寿アニメ『一休さん』に関するおそらく唯一のムック本だが、巻頭のカラー頁と本文の一部で触れられている程度。あとは『一休さん』をモチーフにした、とんちクイズやとんち実践百科など。

1982・2・20／650円／320頁

106
ヒーローロボット大百科 PART3

7『ヒーローロボット大百科』から4年後に第2弾（85番）、それから半年余りで出された第3弾。今回はマイナーどころからメジャー作品まで、作品ごとに紹介する形をとっている。「アニメ・特撮ロボット対比年表」が巻末に。

1982・2・25／650円／320頁

107
原★江川大百科

前年日本一を達成した巨人の主砲・原辰徳とエース・江川卓にターゲットを絞っている。二人の好きな言葉や結婚観、歌のレパートリー、初恋の思い出、特技（原は「おかしくないのに笑える」、江川は「モノマネ」）までわかる一冊。

1982・3・5／650円／288頁

108
ヒーロークイズ大百科 PART3

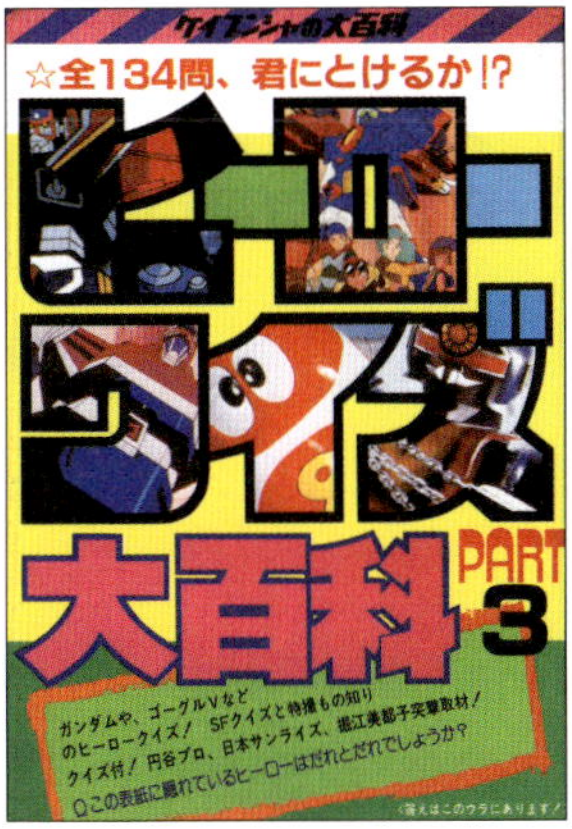

〈『ゴーグルV』の敵・デスダークの4人の大幹部の名前は?〉〈『未知との遭遇』ラストシーンで巨大なマザー・シップが現われた土地名は?〉〈『スター・ウォーズ』のハン・ソロが乗る宇宙船の名前は?〉などマニアックなクイズ満載。

1982・3・20／650円／320頁

109
動く走るとぶ電動工作大百科

モーターとギヤボックスを装備して電池で動かすおもちゃの作り方をイラストで解説した本。「電動うちわ」や「ゴリラロボット」はまだしも、「人力車」や削岩機を使って作業している「道路工事人形」は子ども向けといえる?

1982・3・25／650円／304頁

110
マイコン大百科

いまや死語となってしまったが、マイコンとはホビー用パソコンのこと。当時のハードとソフトの紹介が中心だが、巻頭でいきなり自作マイコンの作り方を専門用語満載で解説しているので、とっつきは良くない。

1982・4・5／650円／320頁

110
マイコン大百科 ゲーム編

右の『マイコン大百科』を1年で絶版にし、「ゲーム編」としてお色直しした本。ゲームソフトのカタログが中心だが、ぴゅう太やカセットビジョン、アルカディアといったマイナーな機種のゲームも掲載されている。

1983・5・25／650円／288頁

111
海づり大百科

海での釣りに焦点を絞り、43種の魚ごとにしかけと生息場所、テクニックを紹介した大百科。釣った魚のおいしい料理法や釣りに関する雑学も掲載されている。魚類図鑑としても役に立つ本だ。

1982・4・10　650円／320頁

112
機動戦士ガンダム メカ大百科

ファースト・ガンダムのメカに特化した大百科。後に多々出ることになるモビルスーツ名鑑のハシリである。この本もバカ売れしたようで、ガンダムは「怪獣」に代わる大百科の金鉱になりつつあった。

1982・4・25／650円／288頁

113
レッツGO! V2 巨人軍大百科

83番に続く、巨人軍大百科の第2弾。前シーズン、藤田元司新監督のもと4年ぶりのリーグ優勝をはたした巨人のV2を祈願して作られた。当時の巨人は、江川、定岡、西本、篠塚、中畑、原などの名選手がそろっていた。

1982・4・30／650円／320頁

113 58年度版
レッツGO! 巨人軍大百科

前シーズンはわずか1勝差で中日に優勝を譲った巨人だが、メンバーに大きな変化はない。全選手の写真名鑑や巨人軍全記録のほか、「プリンス原なんでも情報」「怪物江川なんでも情報」がイカス。

1983・4・20／650円／288頁

113 '86年版
巨人軍大百科

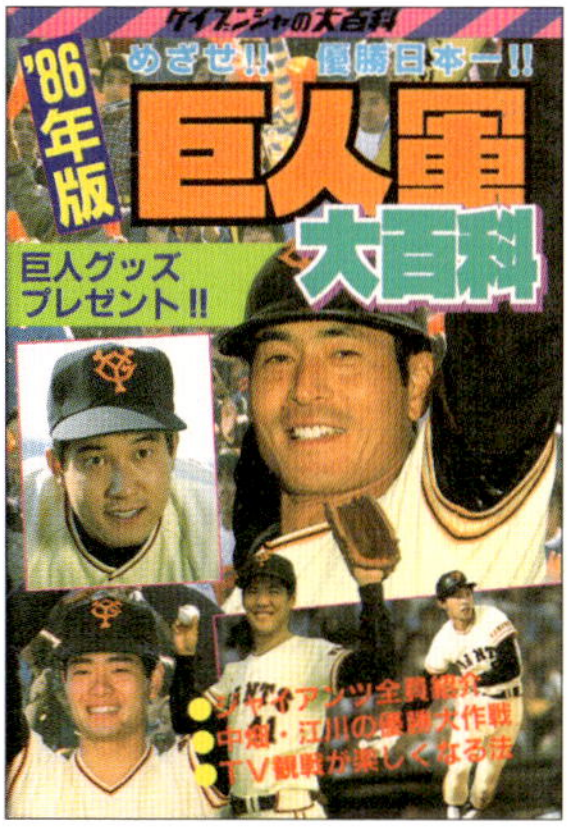

前年は阪神優勝で日本中が大騒ぎ、巨人はスター不足に悩んでいた。表紙センターが中畑では……。翌年には4年ぶりのリーグ優勝をはたすのだが、『巨人軍大百科』は本書をもって、いったん終了。

1986·4·20／650円／280頁

113 '85年版
巨人軍大百科

王監督のもと、前年は3位、この年も3位に終わった巨人。「中畑・篠塚凸凹《でこぼこ》グァム日記」や「吉村てってい解剖」などの特集記事を掲載している。この年から、書名の年度表記が和暦から西暦に変更された。

1985·4·20／650円／280頁

113 59年度版
巨人軍大百科

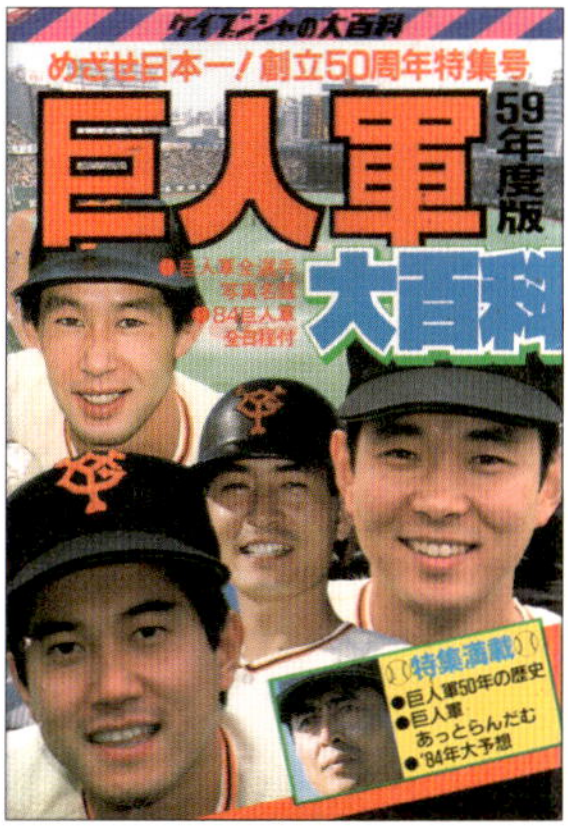

巨人の創立50周年を記念した特集号。前年リーグ優勝(日本シリーズでは西武に敗退)した巨人だが、この年から監督は藤田元司から王貞治にバトンタッチされた。不振だった定岡が表紙から消えていることに注目。

1984·4·5／650円／280頁

116 新竹取物語
テレビ版 1000年女王大百科

表紙で「完全収録」をうたったように、テレビ版『1000年女王』を最終41話まで紹介。中途までの収録が多かった大百科にしては珍しく、最終話のストーリー紹介もカラーだ。映画版の大百科は出なかった。

1982·6·10／650円／320頁

115
エチケット マナー大百科

ステキなレディになるための方法を事細かくアドバイス。「風をきって颯爽と歩くために本を頭にのせてレッスンしよう」とか無理な注文が多い一方で、男の子へのアタックだけは「ボールの投げ方教えて」と誘うなど、妙に積極的だ。

1982·6·10／650円／320頁

114 機動戦士ガンダムIII
めぐりあい宇宙 大百科

劇場版ガンダムの3作目、ファースト完結編の大百科。テレビ版から大幅なリテイクが加えられたため「完全分析ここが違う!! 映画版vsTV版」に熱が入る。「連邦ニュース」「ジオン公報」等のお遊び企画もある。

1982·5·20／650円／320頁

117 プロレス大百科 PART2

ありえない架空対決がファンの夢をかきたてた!!

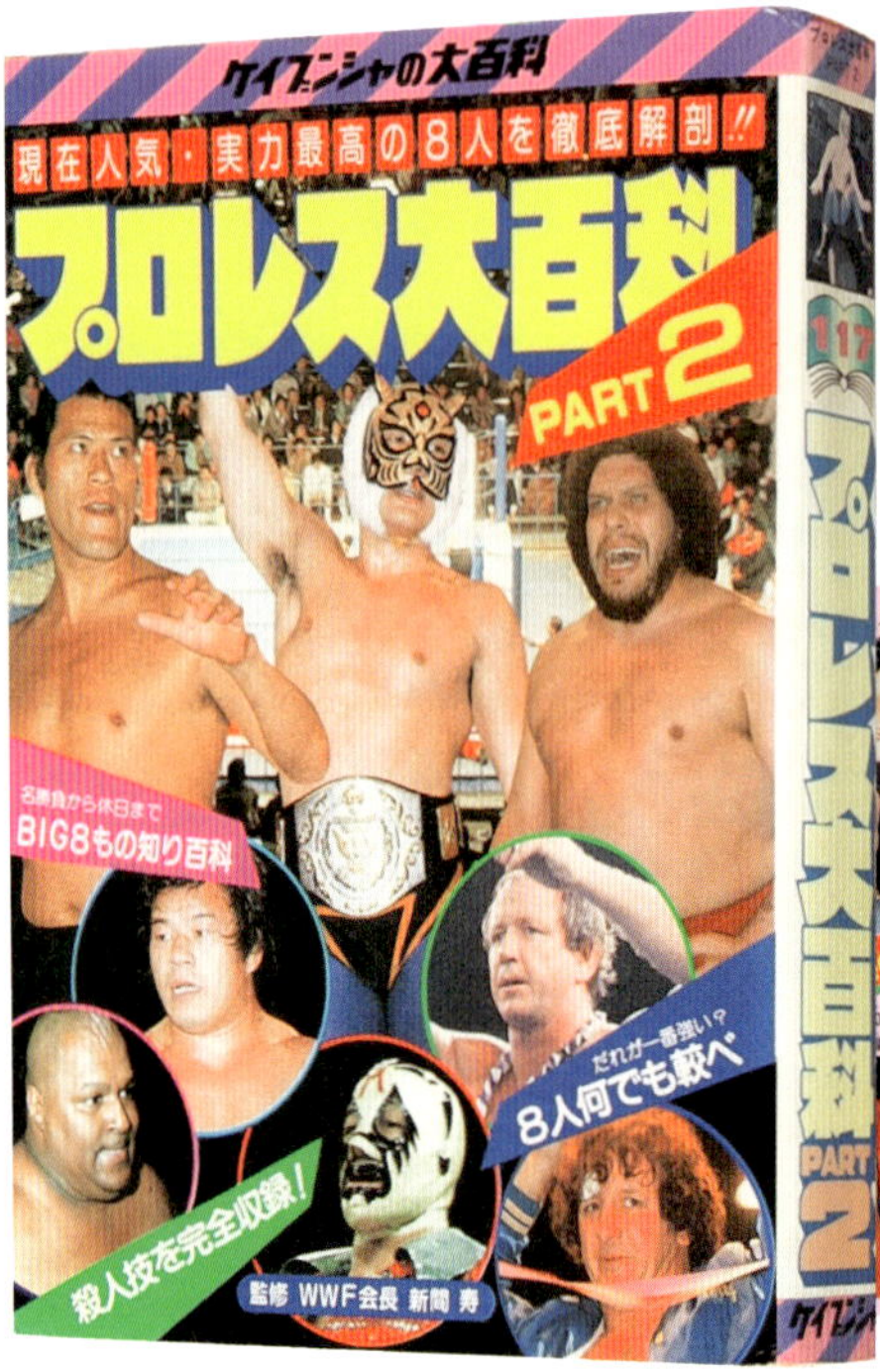

8人の人気レスラーにスポットライトを当てた大百科だが、表紙で大きく扱われているのは、新日本プロレスを主戦場としていた3人だ。

1982・6・30／650円／320頁

カラーグラビアの冒頭はやはりアントニオ猪木の勇姿から始まる。次の見開きでは、十八番のコブラツイストが繰り出される。

1980年代前半、今では考えられないようなプロレスブームが日本中を席巻していた。ブームを牽引していたのはアントニオ猪木率いる新日本プロレスで、猪木による異種格闘技戦やタイガーマスクの登場などに加え、古舘《ふるたち》伊知郎《いちろう》の過激な実況や、『私、プロレスの味方です』をはじめとする村松友視によるエッセイが話題を呼び、毎週金曜の午後8時から放映されるプロレス中継を、老若男女が待ちわびていた時代があったのだ。

そんな時期に発行されたのが101番の『プロレス大百科』だが、これが好調だったのか、わずか半年後には第2弾である本書が発売されている。世界のトップレスラーを網羅するというオーソドックスな構成だった前著に対し、こちらは新日本プロレス監修のもと、当時人気の高かったレスラーに的を絞った内容だ。

その顔ぶれは、燃える闘魂・アントニオ猪木、ヘビー級に転向したばかりの藤波辰爾《たつみ》、劇画から飛び出し四次元殺法で大人気を勝ち得たタイガーマスク、大巨人アンドレ・ザ・ジャイアント、ライバル団体の全日本プロレスから新日に引きぬかれたばかりの黒い呪術師アブドーラ・ザ・ブッチャー、兄弟そろって元世界王者のドリー・ファンク・ジュニアとテリー・ファンク、仮面貴族ミ

レスラーごとに必殺技が紹介されているのはもちろんだが、ブッチャーの場合は凶器の種類までが解説されている。

ブッチャーに付けられたコピーは「血にうえた悪魔の化身」!! 血だらけの写真をこれでもかとばかりに掲載。

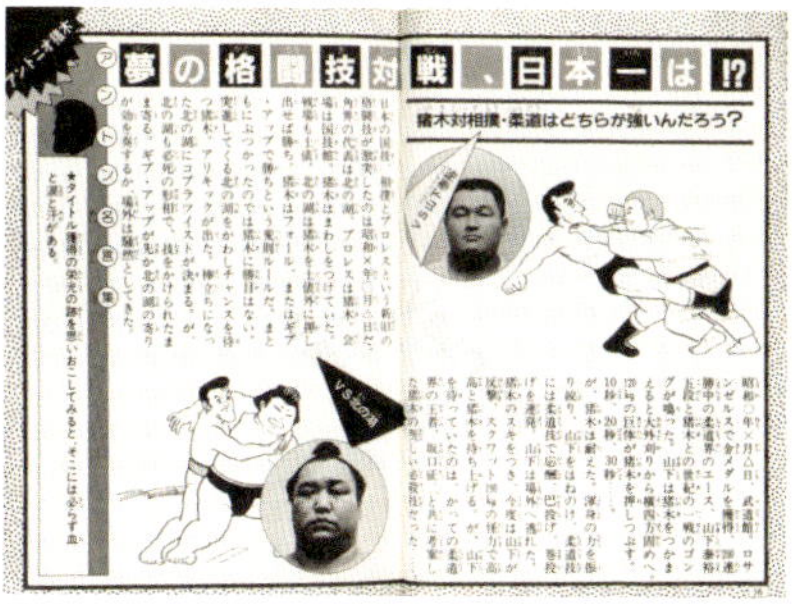

猪木が山下泰裕や北の湖と闘ったらどうなるのか? そんな夢の対決を誌上で予想している。

鮮やかに宙を舞う空中殺法で人気があったミル・マスカラス。入場曲はジグソーの「スカイ・ハイ」だった。

ル・マスカラスの8人。

ターゲットを絞っただけあって切り込みは深く、各レスラーの特長や経歴、得意技、名勝負などはもちろん、収入や趣味・私生活にいたるまで事細かに紹介されている。猪木と藤波に関しては、自宅周辺の地図まで掲載されているほどだ。

なかでも興味深いのは、過去の戦績や体力、身体能力などから8人の強さを比較するコーナーだが、腹筋運動500～1000回をこなすという他のレスラーに対し、「テリー・ファンク、ブッチャー、ジャイアントはあまりやらないがきっとすごいだろう」なんてアバウトな解説をつけてしまうあたり、いかにも大百科らしい。

猪木のコーナーでは、柔道界のエースだった山下泰裕や、大相撲の横綱・北の湖との架空異種格闘技戦の模様が掲載されているのが楽しい。山下との対決では、高々と抱え上げられた猪木が、かつての柔道日本王者・坂口征二とともに考案した新必殺技（具体的にどんな技なのかは不明）で反撃に出たり、北の湖との対決では、土俵上でまわしをつけた猪木がコブラツイストで相手を追い込んだりと、想像するだけでワクワクするような試合展開が描かれている。さすがに勝敗はぼかされているものの、夢をかきたてられる企画である。

120

世界の超特急大百科

すでに鉄道系大百科の第一人者といってもいい存在になっていた南正時が、世界中の超特急をカタログ形式で紹介。そのほか、日本の東北新幹線とフランス国鉄の超高速列車TGVを大々的に特集している。

1982･7･30／650円／320頁

119

冒険カメラ大百科

乗り物、スポーツ、自然、動物、人間、トリック写真など、モチーフ別に撮影テクニックを解説した本。監修者でもあるプロカメラマンの長濱治に1日密着取材して、プロの仕事ぶりも紹介している。

1982･7･15／650円／320頁

118 カラー版

世界の昆虫大百科

海外に生息する昆虫845種類を掲載。カラー版・図鑑形式の大百科は本書が最後になった。なお担当編集者いわく、巻末に載せた昆虫採集の七つ道具や虫を招きよせる方法は、適当にでっち上げたものだとか。

1982･6･25／650円／360頁

121 テレビ版

伝説巨神イデオン大百科

ガンダムに次ぐ富野由悠季（当時は富野喜幸）監督作の大百科。低視聴率で打ち切られた作品であり、最終回の第39話では唐突に超爆発が起こって敵・味方の両人類が滅亡してしまう。そのため表紙にうたう「全ストーリー」を追っても謎や不明点が多々残ることは否めない（劇場版で最終回は新たに作り直されたが）。キャラ紹介、メカ解説、雑学百科、当時のグッズ等、内容的な充実度とマニア度は高い。

1982･7･25／650円／320頁

カラー頁は第1話「復活のイデオン」から始まる。

123

妖怪・幽霊大百科

表紙に登場するは、水木しげるの妖怪たち。ただしほかは巻頭カラーのイラストを手がけただけで全体に水木色は薄い。対象としている範囲は幅広く、日本のお岩さんや番町皿屋敷といった幽霊、河童、雪女などから、ドラキュラ、フランケンシュタイン、透明人間などの海外モンスターまで。心霊写真や実話風の怖い話なども載っているので、のちに頻出する心霊恐怖系大百科の第1弾ともいえるだろう。

1982・8・20／650円／320頁

おなじみ鬼太郎ファミリーが勢ぞろい。

125

映画版 伝説巨神イデオン大百科

後の174『怪獣もの知り大百科』で伝説本を送り出す町山智浩（現在映画評論家）が筆頭ライターとして記されている大百科。2本（接触篇と発動篇）同時公開された劇場版を一冊にまとめている。「TVと映画・ココが違う！」ではカットされた台詞にまで言及。「イデオンのルーツを探る！」では、SF映画『禁断の惑星』『宇宙大作戦《スター・トレック》』『謎の円盤UFO』等々が写真入りで紹介されている。

1982・9・10／650円／320頁

124

自転車大百科

マウンテンバイクやBMXに注目が集まりはじめた時代に発売された大百科。自転車といえば、子どもにとってはもっとも身近な乗り物のはずだが、自転車を扱った大百科というのは、本書一冊だけである。

1982・8・25／650円／320頁

122 世界の怪獣大百科

凄すぎる！企画者の怪獣愛が行きわたった一冊

カラーグラビアでゴジラ、モゲラに次いで登場したのが、ラドン。1956年、怪獣映画では初のカラー作品『空の大怪獣ラドン』で出現。

ゴジラをはじめとする映画怪獣が表紙を飾っているが、アニメ、マンガ、小説、伝説の怪獣も多数紹介されている。

1982・8・1／650円／320頁

古今東西の怪獣500匹を網羅した、すごい本である。ゴジラ、モスラ、ガメラ、キング・コングといった有名怪獣はいうにおよばず、獣人雪男や鯨神も、イギリスの着ぐるみ怪獣ゴルゴも、ハリーハウゼンが特撮を手がけたシンドバット三部作や『巨大生物の島』『アルゴ探検隊の大冒険』に登場した怪物たちも載っている。さらに、『クローリング・アイ』『怪獣モノリス』『ムーン・ミサイル』なんていう、日本未公開映画まで扱っているのだから、もはや子ども向けの範疇《はんちゅう》を超えているといっていいだろう。透明人間やガス人間まで怪獣扱いされているのはちょっと可哀想な気もするが、資料的価値はその分高くなっている。

しかも対象ジャンルは特撮映画だけにとどまらない。アニメやマンガに描かれた怪獣、国内外のSF、ホラー小説に出てきた怪獣、さらには神話などに登場する伝説の怪獣、そして実在する(!?)怪獣に至るまで、紹介範囲は多岐にわたっているのだ。手塚治虫や横山光輝らの少年マンガは当然として、美内すずえや木原敏江らが創造した少女マンガの怪獣にまで手を広げている。小説怪獣はヴァン・ヴォクトや香山滋、クトゥルフ系でもっと数を稼げるはずだが、それでも100体以上掲載しているのだから十分といえるだろう。

1963年公開のアメリカB級映画『人類SOS！』に出てきた植物怪獣。80年代キッズはまず観てない映画だけど、かつての怪獣図鑑ではおなじみの怪獣だった。

筒井康隆が1967年に発表した短編童話『かいじゅうゴミイ』に出てくる超マイナーな怪獣が見開きカラーでドーン!!おじさんはもうそれだけで感動だっっ!!

シーラカンスも「実在する怪獣たち」として掲載。確かに実在しているけれども、怪奇植物とかムカデ怪獣とかと同列に扱うのはいかがなものか。

ラヴクラフトが創造したクトゥルフの紹介頁。でも、クトゥルフってタコのような頭部に、触腕を無数に生やした顔をしているはずでは……。

すべての怪獣に写真もしくはイラストが付き、身長と体重のデータが律儀に記載（不明のものも多いが）されている点も素晴らしい。たとえば、日本神話に出てくる「八岐大蛇《やまたのおろち》」は身長２００メートルで体重１万トンらしい。『日本書紀』にも『古事記』にも記されていない新事実だ。

ウルトラシリーズなどテレビ特撮の怪獣は割愛されているが、そちらは『全怪獣怪人大百科』を読めということだろう。つまり、この本が発行された１９８２年当時、本書と『全怪獣怪人大百科』の２冊を読んでいれば、世界中の怪獣をほぼ把握できたといってもいい。

それにしても、ＳＦやホラーによほど精通していなければ、ここまでの本は作れないだろう。で、巻末を見てみると、企画・構成は竹内義和、イラストレーターの中には赤井孝美や加戸誉夫、協力者には岡田斗司夫の名前も見える。なるほど、と納得してしまうような濃いメンバーだ。

でも、「実在する怪獣たち」の中で、南極で目撃されたというゴジラそっくりの怪獣なんかと同列に、コモドドラゴンやシーラカンスが紹介されているのは、どういうことだ？　それでいながら、ネッシーやツチノコ、ヒバゴンといった定番が抜けているのも謎である。

126

水野晴郎の世界のポリス大百科

あの水野晴郎がコスプレで大活躍の奇書

欧米の警察組織を徹底的に紹介した一冊。水野晴郎のコスプレ写真集としての一面も持っている。

1982・8・30／650円／320頁

カラー頁でも各国の警察の制服に身を包んだ水野晴郎がバンバン登場。知識だけでなく、その行動力にも驚かされる。

水野晴郎といえば映画解説者として有名だったが、警察研究家としての一面も持っていた。欧米の警察に関する著書も多く、その子ども向け入門版として作られたのが本書といえるだろう。過去に各国の警察を訪問取材しているだけに写真も豊富で、水野が現地の警察官とともに得意げに制服に身を包んだコスプレ写真が微笑ましい。

とはいえ内容はかなり専門的で、ニューヨークでは1981年に路上強盗206件、殺人1752件、強姦3875件の犯罪が発生したとか、ロサンジェルス市警のSWATは220名の隊員で構成され、1日8時間勤務で4週間に9日間の週休があるとか、カリフォルニア・ハイウェイパトロールの初任給は1259ドルだとか、子どもにとってはどうでもいいようなデータが、これでもかとばかりに事細かに記述されている。

そもそも海外の警察に興味を持つようになるのは、警察小説やポリスアクション映画——本書ではそれらも紹介されている——がきっかけになるケースが多いと思うのだが、そういった作品に馴染んでいる子どもは多くなかったはずで、本書が子どもたちに歓迎されたかとなると、はなはだ疑問である。案外、警察マニアの編集者が、趣味とノリだけで通してしまった企画なのかもしれない。

127 映画版
わが青春のアルカディア大百科

石原裕次郎がハーロックI世の声を演じた劇場アニメの大百科。シナリオを完全掲載している。映画の配収は前年の『999』の約半分で、松本零士ブームの下降を物語る。続編にあたるテレビ版の大百科は出なかった。

1982・9・20／650円／320頁

128
ラジコンテクニック大百科

ラジコンを車、飛行機、船の3タイプに分類し、それぞれの操縦法と製作テクニックを図解や写真で詳細に解説した大百科。ラジコンモデルやエンジンのカタログ、サーキットガイドなども付いている。

1982・10・5／650円／320頁

129
大戦隊ゴーグルファイブ大百科

戦隊シリーズの単独作品としては初の大百科。特撮系はアニメに比べて低年齢層のイメージがあったためか、漢字は少なく、グラビアは絵本のような作りになっている。第32話「ドキッ骨ぬき人間」までを収録。

1982・11・1／650円／288頁

130 まんが
おもしろクイズ大百科

マンガやイラストを使った、文字さがしや記憶力テストなど、視覚的なクイズ・パズルが多数収録された大百科。ただ、イラストのテイストは、当時からしても、ちょっと古臭さを感じさせるものだった。

1982・11・5／650円／320頁

131
四季のおりがみ大百科

45『おりがみ大百科』と同じく、日本折り紙協会の薗部光伸による、おりがみの作例集。今回は花やヨット、雪だるまなど、季節を表現したおりがみを多数紹介している。おりがみ人形劇も掲載。

1982年／650円／不明

132
ヒーロー雑学もの知り大百科

〈『六神合体ゴッドマーズ』の原作は横山光輝の『マーズ』〉〈『宇宙刑事ギャバン』はジャン・ギャバンからとった〉〈『ウルトラマン80』の主人公・矢的猛は実在の人物名〉などおたくネタが123項目。表紙イラストは吾妻ひでお。

1982・11・15／650円／288頁

133 THEタケちゃん・マン大百科

「タケちゃんマン」を扱った唯一無二の公認本

タケちゃんマンとブラックデビルが一緒に収まる表紙。今となっては貴重な大百科の一つだ。

1982・12・5／650円／288頁

「あ、飛行機だ！ あっ鳥だ！ あ、タケちゃんマンだ！」のフレーズが泣かせる。ビートたけしは当時まだ30代半ばだった。

１９８１年から８年間続いた人気バラエティ番組『オレたちひょうきん族』（フジテレビ系）内のコントドラマ『THE TAKECHANMAN』に特化した大百科である。番組そのものではなく、そこに登場するキャラクターの本であり、大百科にしては珍しいようにも思えるが、もともとケイブンシャはお笑い番組からのニッチなチョイスは得意なのだ。大百科初期には『ジャンボマックス大百科』『ドリフターズ遊び大百科』（ともにナンバーレス）なども出している。

タケちゃんマンの人気は高かったにもかかわらず、関連本はまったく出ておらず（版権や交渉の煩雑さを想像しただけで尻込みしたのではないかと思われる）、本書が唯一無二のタケちゃんマン本の存在となっている。ケイブンシャならではの果敢なチャレンジが成功したのだろう。

それにしても適当である。表紙、背表紙、本文で主人公名が不統一、「タケちゃん・マン」「タケちゃんマン」「TAKECHAN・マン」とあって、タイトル名とキャラ名とで区別しているわけでもなさそうだ。

そして最もケイブンシャらしいのは、構成として、ヒーロー本と同じ作りになっているということだろう。キャラ紹介&ゲストキャラ紹介、必殺

放送局が異なるのに、スカイライダーもゲスト出演した。

タケちゃんマンの敵キャラ、といえばブラックデビル。「クワックワックワッ」というさんまの笑い声が懐かしい。

「ひょうきんベストテン」をとりあげた頁では、片岡鶴太郎のマッチなど、貴重なスチールも収録。

「ひょうきんベストテン」を盛り上げた、西川のりおの狂気あふれるジュリー。

技紹介、変身の種類、ストーリー、スタッフインタビュー（三宅デタガリ恵介）、放映リストという具合で、戦隊大百科と基本的には変わらない。

ゲストキャラ紹介は妙に細かく、タケちゃんマンの助っ人で現れた仮面ライダー（スカイライダー）のスチールは、特撮ファンにとっては貴重な一枚だ。アラシ隊員役で出演した毒蝮三太夫や電線マンのゲスト写真も同様だろう。もちろん、ひょうきんレギュラー陣の多くの芸人をはじめ、ゴックン娘（山本リンダ他）やアッコマン（和田アキ子）までちゃんと掲載されている。

ストーリーは、さすがに話数を追う形は取れなかったのか（ちゃんとした物語性はないし）、「名場面集」「死闘！10番勝負!!」で紹介する程度にとどまっている。ただし第40話「グレートレースの巻」のみ、シナリオ再録という形で計90頁もの完全フォトストーリーとなっていて、場面再現度が異様に高い。

内容的には41話までというケイブンシャらしい中途半端さなので、ブラックデビルJr以降の敵、アミダばばあやナンデスカマンは載っていないし、タケちゃんマンロボやタケちゃんマン7も未掲載だ。しかしながらも、ミニコーナーと巻末に「ひょうきんニュース」や「ひょうきんベストテン」がしっかりと特集されている。

134 宇宙刑事ギャバン大百科

メタルヒーロー物1作目の大百科。頁数を少なくし、定価も下げているのは幼児向けの絵本として買ってもらうためだろう。第30話までを紹介。主演を務めた大葉健二のインタビューも収録されている。

1982・12・15／500円／192頁

135 プラモデルテクニック大百科

塗装に重点を置き、プラモデルをより美しくかっこよく仕上げるためのテクニックを紹介した、中・上級者向けの教本。対象としているのは乗り物系が中心で、巻末で少しだけキャラクターものを扱っている。

1983・1・10／650円／288頁

136 アントニオ猪木 タイガーマスク大百科

新日本プロレスの2大レスラーをフィーチャー。タイガーマスクの正体については佐山サトルのほか2人が候補に挙げられていたが、マスクをかぶる前の「タイガー・ヒストリー」では佐山の似顔絵が堂々と使われている!!

1983・1・15／500円／192頁

137 サッカー入門大百科

Jリーグが開始される10年前だが、決して少なくはなかったサッカー少年のために、その練習法、歴史、名プレーヤーを紹介した大百科。監修はセルジオ越後。表紙は旋風を巻き起こす前のマラドーナである。

1983・1・20／650円／288頁

138 宇宙戦艦ヤマト完結編大百科 PART1

劇場版ヤマト最終作（当時）の公開に先駆けて出た、一冊まるごと予告編のような大百科。完結編のストーリーはほんの序盤しかなく（本文約30頁）、ほかは今までの名場面集や歴史で構成されている。

1983・2・15／600円／256頁

139 占いあそび大百科

十二支、血液型、手相、指紋、人相、トランプ、すごろく、名前、星座など21種類の占いを扱う。「片思いの相手に心が通じるおまじない」や「嫌いになった相手とうまく別れるためのおまじない」はちょっと不気味な内容。

1983・2・5／650円／288頁

140

太陽の牙ダグラム大百科

ガンダム以上にハードでシリアスな展開になったダグラムの大百科。第45話・リタの死までを紹介。デロイア前史、戦士たちの横顔、デロイアへの旅、CBアーマー撃退法、等々と内容的には充実。

1983・2・10／650円／288頁

141

ヒーロー・メカ大百科

『聖戦士ダンバイン』や『科学戦隊ダイナマン』など当時の新番組がメインだが、ゴジラシリーズなど過去の作品に登場したメカも事典形式で網羅しているあたり、『全怪獣怪人大百科』のメカ版を目指したというだけのことはある。

1983・3・1／650円／288頁

142

マイコン大百科 入門編

マイコンのプログラミング言語＝BASICを解説した本。ほとんどがコマンドや関数の説明なので、コンピュータプログラムの知識がないと、まったく内容が理解できない。後半にはマイコンカタログが掲載されている。

1983・3・5／650円／288頁

143

ペット飼育大百科

女の子向けにペットの飼い方を紹介した大百科。イヌやネコ、小鳥、熱帯魚といった定番はいいとして、ヘビやワニ、サルなど小学生の女の子が飼うとは思えない動物の飼育法まで掲載されているのはいかがなものか。

1983・3・10／650円／288頁

144

モデルガン大百科

モデルガンのカタログを中心に、チューンナップの方法を解説しているあたりはではまとも。しかしモデルガンを使ってコンバットゲームを楽しむ、という趣旨のもと作られたフォトストーリーが大百科らしい展開に!!

1983・4・15／650円／288頁

145

少林寺拳法入門大百科

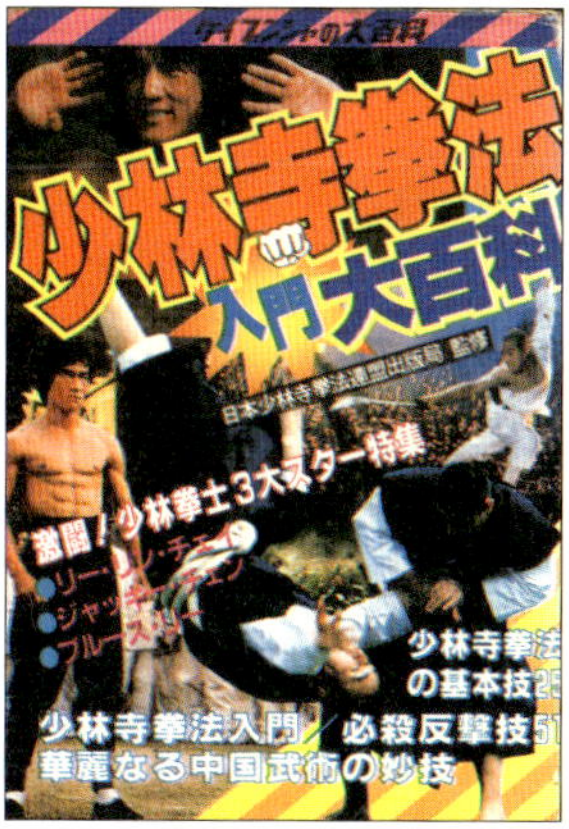

日本少林寺拳法連盟出版局監修のもとに作られた本。「上級生に手首をねじあげられた!!」「するどい回し蹴りが腹に!!」「ひったくりをつかまえろ!!」「後ろから口をふさがれた!!」状況別に技が紹介されているので、役立ちそうだ。

1983・4・30／650円／288頁

146 ジャッキー・チェン大百科

すっかりアイドル扱いで丸々ジャッキーの大特集!!

ジャッキー主演の映画から。ただしこの時点では未公開だった（後の『カンニング・モンキー 天中拳』）。

ジャッキーの本名や出生から趣味、恋人まですべてわかる一冊。ジャッキーの大百科はこの後4冊続くことになる。

1983・5・5／650円／288頁

今やハリウッドの大スターであるジャッキー・チェンの“昇り龍”時代の一冊である。ケイブンシャとクンフー映画（香港電影）の関わりは深く、すでに1974年には『空手スター　ドラゴン大特集』を出版、以降クンフー映画のノベライズという変わり種を何冊も出すことになる。

もちろん大百科でもこの一冊が先陣となって、151『ブルース・リー大百科』、166『総登場！　クンフースター大百科』、213『ユン・ピョウ大百科』が登場。またジャッキーチェン関連も、157の第2弾、171の第3弾、186『ずっこけクンフー大百科』、205『スーパーアクション大百科』と続いて、80年代半ばにはクンフー物が大百科の定番となった。

本文頁は、カラーグラビアの延長のような構成であり、さながら映画雑誌の様相である。

ジャッキーの恩師や好きな物、アクセサリーの紹介、「ジャッキーの人相学」「ジャッキーの魅力30」、出生から下積み、主演までの「ジャッキー物語」もあって、本書が発売された当時ジャッキーは29歳なのにすっかりアイドル扱いである。

ちなみに好きな数字は7、好きな動物は犬、尊敬する人はナポレオン、好きな女優はファラ・フォーセット、だそうである。

「ジャッキーの恋人の真相!?」のコーナーでは、

新精武門

ブルース・リーが1972年に「精武門」に出演し、スターへの道を歩んだ。その続篇とも言うべき作品といえる。前作の時の主演はブルース・リーの陳真だったが、今回はブルース・リーが居ないので、精武道場をついだ麗児役の苗可秀と阿龍役の成龍が主演。ブルース・リーと苗可秀が、ジャッキー・チェンと苗可秀に代わるくらいて、日本人道場との対決が、ひとつの骨子になっているドラマ内容は変わっていない。監督・製作は羅維。

ここにある「新精武門」は、後の『レッド・ドラゴン／新・怒りの鉄拳』。その他に後の『成龍拳』など当時は未公開だった作品のストーリーを紹介。

当時ジャッキーは既に29歳だったが、すっかりアイドル扱いである。

モノクロ頁でも、ジャッキーの写真のまわりには意味不明の星印が散りばめられている。

こちらは一転して精悍なジャッキー。サインも入っている。

『ドラゴンロード』で共演したシドニー・チャンの姉のミッシェルが「ジャッキーに愛を打ち明けられない」と、どこからどう出た話なのかもよくわからない捏造《ねつぞう》女性誌のような記事になっている。

この当時すでにジャッキーはジョアン・リンと結婚していて、長らく恋人であったことも公然の秘密だったのだが、香港を訪れた日本の女性ファンたちはそれを知ると激しく落胆し、失意のあげく二人も自殺してしまったという。しかもひとりはジャッキーの自宅前で服毒したとか!?

こうして結婚の事実はアンタッチャブルとなり、この本でも「独身」ということになっている。

整形前の写真も容赦なく載っているのだが、ジャッキーの容貌が書かれている所々に「鼻が傾き気味なのが気になる」「鼻のバランスが少し大きいのでは？」等々のフォローが入っている。実際のところ鼻の変化は何度も骨折して手術した結果であって、明確な整形は目元なのだ。幼年期の写真および『少林寺木人拳』では一重、現在は二重で、これは隠しようもない。しかし本書では、目元はさらりと触れるだけ。つきまとっていた整形疑惑を鼻部分にミスリードさせようということだったのだろうか……。

149
機動戦士ガンダムプラモ大百科

既に大ヒット商品になっていた“ガンプラ”の大百科。ガンダムからマゼラアタックまで、当時出ていた全種を紹介、モデリングの方法やコツを伝授している。巻末には「プラモで作ろう8ミリアニメ」といった特集もある。

1983･5･30／650円／280頁

148 宇宙戦艦ヤマト
完結編大百科 PART2

138番のPART1につづく、劇場版ヤマト最終作の第2弾。キャラ&メカ紹介の煽りが「流れる雲見れば」等、よくわからないものになっている。ジャイアント馬場や三波春夫にヤマトに関する質問状を送る剛胆ぶりだ。

1983･5･15／600円／256頁

147
クラッシャージョウ大百科

ガンダムでキャラクター・デザインを手がけた安彦良和が、初めて監督に挑戦したアニメを紹介している。安彦良和の設定画が存分に楽しめる。高千穂遙の原作小説も、この時点での全巻を解説。

1983･5･10／650円／288頁

150
異星人 UFO大百科

目撃されたUFOの写真や宇宙人のイラスト、UFOの形態、UFOとコンタクトする方法、ナスカの地上絵やストーンヘンジなど宇宙人が造ったとされる遺跡、映画に登場した異星人・UFOの名鑑など、UFOと宇宙人に関するありとあらゆる記事が掲載されている。そのうえ、本当に役に立つのかまるでわからないUFO探知機の作り方（UFOが近づくと、豆電球がついたり消えたりするらしい！）まで紹介されているのがなんとも。

1983･6･1／650円／280頁

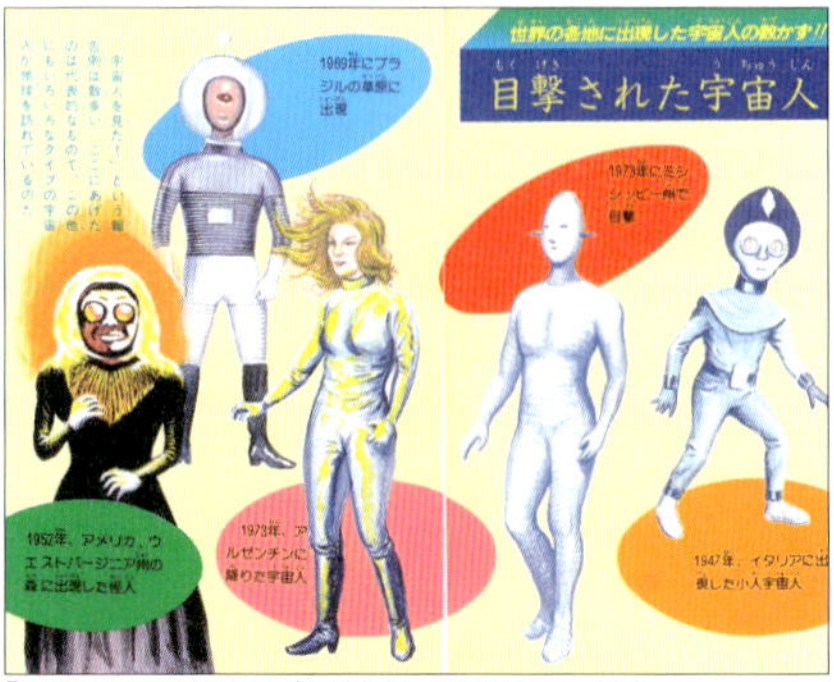

「目撃された宇宙人」と断定しているが、本当か!?

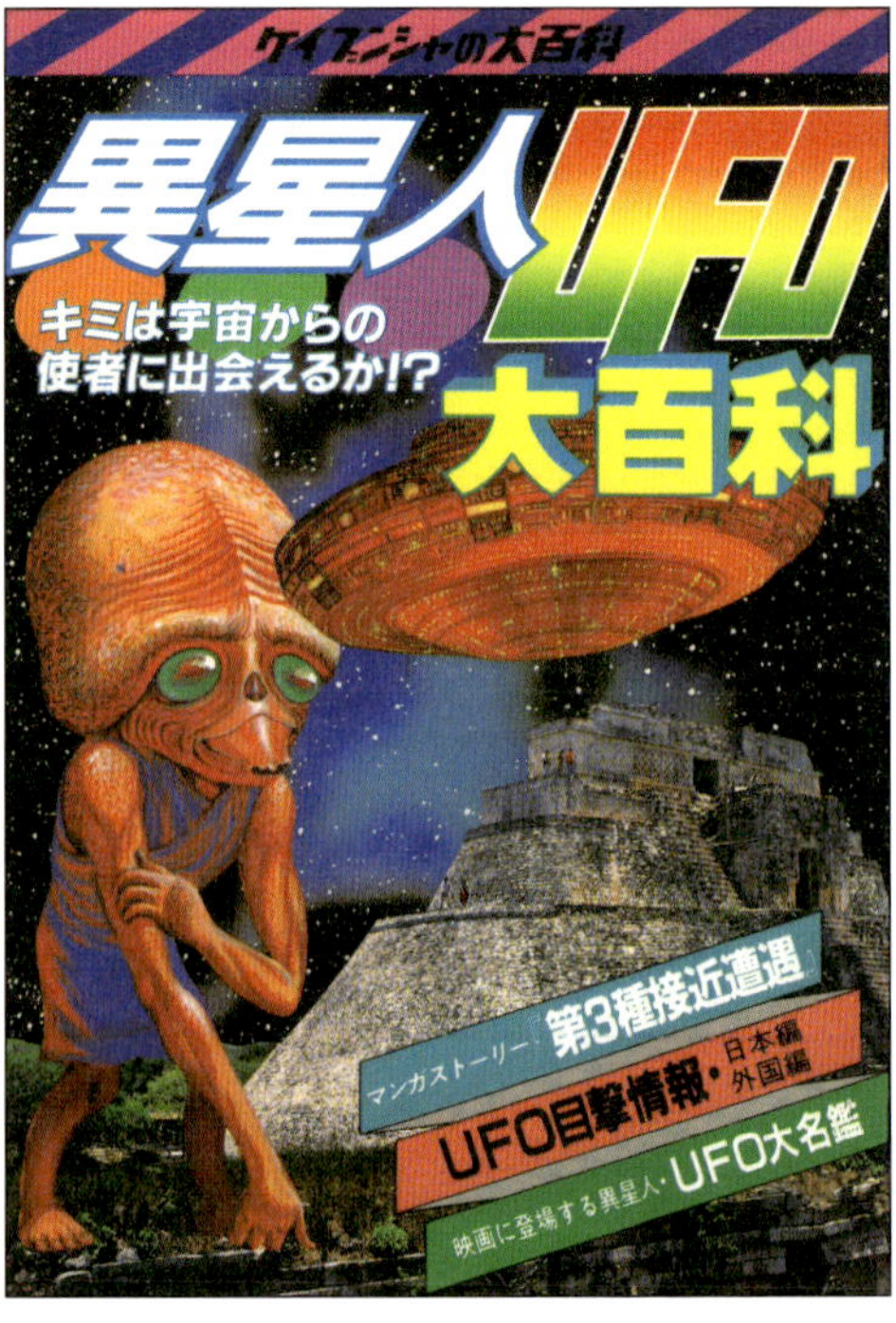

153

野球実戦テクニック入門大百科

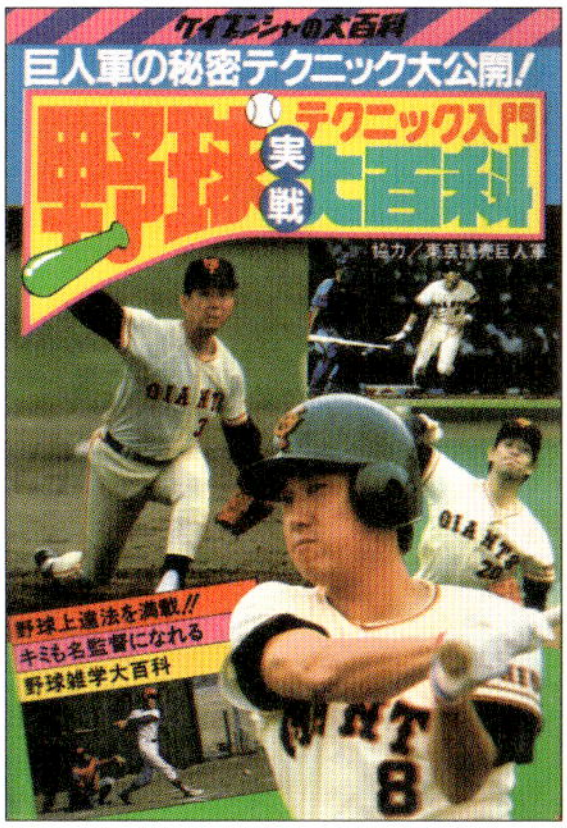

巨人軍の協力のもと、打撃やピッチングの上達方法を巨人の各選手(原・中畑・江川・西本など)に学ぶという趣向。とはいえ「ただバットを振り回してもダメ」という時に「中畑、原選手も同じ考え方だ」と引き合いに出す程度である。

1983･6･20／650円／282頁

152

プロレス大百科 PART3

新日本プロレスの第1回I.W.G.P.や全日本プロレスのグランドチャンピオンカーニバルを特集。国際軍団や長州力率いる革命軍、東洋の神秘ザ・グレート・カブキといった新勢力が台頭してきた頃の本だ。

1983･6･30／650円／280頁

151

ブルース・リー大百科

ブルース・リーが死んでからすでに10年が経っていたが、その人気はまだ高く、ついに大百科となって登場。ただし、主演映画の紹介よりも、リーが完成させた格闘術＝截拳道《せっけんどう》の紹介に多くが費やされている。

1983･6･15／650円／288頁

154

バッテンロボ丸大百科

テレビの特撮コメディー『バッテンロボ丸』を特集。当時放映中だったため、第35話までのデータしか掲載されていないが、続編は出なかった。ロボ丸を題材にしただけのクイズコーナーなど穴埋め記事も目立つが、同番組に関する唯一の書籍として人気が高い本である。巻末には、過去に放送された東映ロボットコメディー『ロボット8《はっ》ちゃん』『がんばれ!!ロボコン』『ロボット110番』の紹介記事も。

1983･7･5／650円／280頁

正義の味方、ロボ丸のお仕事はこんな感じ。

155 ザブングル・ダグラム メカ大百科

『戦闘メカ ザブングル』と『太陽の牙ダグラム』の映画化に合わせて発売。ただし物語的には陽と陰といった両極端な内容だけに、登場メカに絞って特集されている。お笑い企画も満載で、「笑撃のバトルロイヤル／ザブングル対ダグラム」内の、ドナン・カシム対カシム・キング（敵ボス同士の対決）では、イラストがどう見ても、テリー・ファンクとアブドーラ・ザ・ブッチャーになっている。

1983・7・20／650円／280頁

156 怪奇ミステリー大百科

日本各地にある怨霊ただようスポット。読者が寄せた恐怖体験をもとにした読み物（ちなみに本書のイラストは花輪和一先生!）。そして恐怖マンガ。このあと続出する心霊恐怖系大百科のスタイルを確立した本である。

1983・7・30／650円／280頁

157 ジャッキー・チェン2大百科

第2弾のメインは『カンニング・モンキー天中拳』で、試験の時のカンニング方法を教えるヤバい特集もある。「世紀の死闘」では、ジャッキーvsタケちゃんマン、vsウルトラマン、vs高見山という謎の架空対決も!

1983・8・5／650円／280頁

158 スター・ウォーズ大百科

スター・ウォーズ第3作『ジェダイの復讐』（現在は『スター・ウォーズ エピソード6／ジェダイの帰還』に改題）の日本公開に合わせて発売された大百科。それまでの2作についても紹介されている。

1983・8・15／650円／288頁

159 科学戦隊ダイナマン スーパー戦隊大百科

『ダイナマン』をメインに、戦隊シリーズを特集。『忍者キャプター』を戦隊物として紹介したのはケイブンシャだけで、おかげで後年「昔はキャプターも戦隊だった」という都市伝説が生まれてしまった（135頁参照）。

1983・8・25／650円／280頁

160 マイコン大百科 実用編

NECのPC-8001mkⅡ、富士通のFM-7、シャープのMZ-700などのパソコンを使って、プログラミングテクニックを勉強しようという趣旨。いまいち売れなかったのか、この手の大百科はWindowsの登場までない。

1983·8·30／650円／280頁

161 世界の超予言大百科

ノストラダムスをはじめ、「眠りながら予言する」エドガー・ケーシー、「2000年も生き続けている」サンジェルマン伯爵、「ナポレオンの出現を予言した」カリオストロ、「自分の死とロシア革命を予言した」ラスプーチンなど、世界の予言者を紹介。政治家中川一郎の生年月日を見ているうちに、1か月先の自殺を予言したとして、歌手の橋幸夫が「現代の超予言者」に入っている!!

1983·9·1／650円／280頁

162 からだなぜなに大百科

人間のからだに関する疑問をQ&A方式で紹介していく本。性に関する項目も少なくないが、医学博士の三津間正が監修した、真面目な大百科である。しか〜し問題なのはカラー頁。なんと、5歳ぐらいの女の子の素っ裸が堂々と掲載されているのだ! 今だと持っているだけで犯罪になりそうだが……。変本として、181『うんちの大百科』とともに評価が高い一冊。

1983·9·20／650円／280頁

163 プラモ カー・オートバイ大百科

メルセデスベンツ500SECやホンダプレリュードXXなど、クルマやオートバイのプラモデルの作り方を紹介。タイアップで作られることが多いプラモの大百科は協賛メーカーの「最新モデルを作ってみよう!」という構成になっている。

1983·9·30／650円／280頁

164 アニメアイドル大百科

まさに時代を先取りした、オタク養成教本

アニメに登場した美少女が大好き！　編集者の趣味が全面に押し出された、二次元キャラに萌えるための本。
1983・10・5／650円／288頁

アイドル写真集みたいなカラー頁。左頁下『プラレス3四郎』の今日子に付けられた「君の姿は、心の砂漠に咲く花一輪」という思い入れたっぷりなキャプションに泣いた！

１９８０年代になると、アニメを見る層が子どもだけではなく若者にも広がり、二次元キャラに思い入れを抱くファンも増えはじめた。そんな時期に発売されたのが、アニメに登場した美少女やイケメンにスポットを当てた本書である。

紹介されているのは、『キャッツアイ』の三姉妹をはじめとするラブリー・ギャルズ46人、『クリィミーマミ』などのプリティ・ギャルズ（要するに幼女）7人、戦闘を得意とするパワフル・ギャルズ13人、ナイス・ヒーローズ（男性キャラ）15人、リトル・ボーイズと銘打たれた少年キャラ9人、女装キャラなどのミステリアス・ニューハーフ4人、ワンダー・アニマルズとして動物キャラ9匹。キン肉マンやフクちゃんなど、アイドルと呼ぶには微妙なキャラも混じっているけど、この時代にして、ロリ系とショタ系の項目を立てているあたり注目に値する。

一部、グループ化されているキャラもいるが、基本的に1名ごと見開きで大きく紹介され、設定や性格、さらには、そのキャラのアタック法まで書かれている。例を挙げると、こんな感じだ。

ななこ（ななこSOS）→「とても気が弱いので、交際して、といえばイヤといって断れないので、交際してくれる。でも、人の弱みにつけこむのは、

こちらは戦うヒロインたちが大集合。草食男子という言葉はまだなかったが、強い女子への憧れはある意味普遍的ということか。

ジュニアアイドルのオフショット的な写真を並べた頁。こうしたアニメキャラをリアルアイドルと同等に扱うという表現手法はこの時代、わりと先を行っていたかも。

手塚治虫作品や東映魔女っ子路線、名作アニメ、SFアニメなど、ジャンルごとにアニメアイドルの歴史を解説。

本書のメインであるアイドル紹介頁。数点の画像とともに設定や性格、アタック法が掲載されている。

男らしくないぞ」

マチコ先生(まいっちんぐマチコ先生)→「まず、とにかくもう、ボインにタッチしてしまうこと。それで『まいっちんぐ!!』とやってもらえたら、お近づきの第1歩は成功したといえよう」

アラレちゃん(Dr.スランプ)→「とにかく、メチャンコ明るく、つおいので、彼女とつきあいたい人は、ひたすら体を鍛えておき、最低条件として、ウンチつつきぐらいは、マスターしておくこと」

また、巻頭カラーでは、「実践アイドル講座」として、「下着をしげしげと眺めていたりすれば、変態かと思われるかもしれないが注目だけはされるだろう」とか、「ポルノ映画を双眼鏡で見る。あまりにも露骨な行為だけに、自分を印象づけるには1番だ」とか、児童書とは思えない危ないアドバイスが掲載されている。

そのほか、声優についての言及やアニメアイドルの歴史、パンチラ&入浴シーンをまとめた頁、コミケで撮影したコスプレ写真集まで付いているのだから、これはもう、オタク養成講座といってもいい内容。当時はキャラクターに対して「萌《も》え」るなどという表現は存在しなかったけれども、現代の「キャラ萌え」文化を促進させた要因は、この本にあるかもしれない。

165
忍者・忍法大百科

忍者の歴史、武器や道具、実在した忍者やフィクションの忍者、「水遁《すいとん》の術」「分身の術」など必殺40大忍法を紹介。この頃から穴埋め企画としてフォトストーリーを掲載するようになり、本書でも「伊賀の烏賊《いか》丸」という架空のキャラクターを主人公にしたお話が4編収録されている。出演者は全員、編集スタッフとその知人たちで、撮影は伊賀でも甲賀でもなく、千葉県木更津市にあった忍者屋敷というデタラメぶり。

1983・10・20／650円／280頁

「伊賀の烏賊丸」参上!!　編集者の趣味丸出しの頁だ。

168
ラジコン大百科 アクションカー

ラジコンを、玩具の世界から生まれた組み立て済みのトイラジコンと、模型の世界から生まれたホビーラジコンに分類して、それぞれの魅力を紹介。カタログが中心だが、初心者にもわかりやすい内容になっている。

1983・11・30／650円／280頁

167
鉄道模型テクニック大百科

70『鉄道模型大百科』につづく、Nゲージの大百科。車両の製作や改造方法、自作レイアウトのコツ、ストラクチャー（建物の模型）徹底解説、工具と塗料の知識などが掲載されている。

1983・11・25／650円／280頁

166
総登場！クンフースター大百科

ジャッキー・チェン、ブルース・リー、リー・リンチェイの3人を中心に、香港のクンフースターを紹介した大百科。なぜか日本のJAC（ジャパンアクションクラブ）の俳優名鑑も掲載されている。

1983・11・15／650円／280頁

169 宇宙刑事シャリバン大百科

宇宙刑事シリーズ第2弾を第36話まで紹介。放映リストでは「37話より先はテレビを見てから自分で書きこんで下さい」とおまかせ状態。インタビューはアクション監督の金田治や、ぬいぐるみ製作の前沢範と裏方までをフォロー。

1983･12･10／650円／280頁

170 セルジオ越後のおもしろサッカー大百科

今や日本サッカー界のご意見番となったセルジオ越後の、無名時代の活躍(?)が堪能できる一冊。メインとなっているのは、遊び感覚でサッカーのテクニックが上達する、38種類のサッカーおもしろゲーム。

1983･12･25／650円／280頁

171 ジャッキー・チェン3大百科

ジャッキー第3弾。背表紙にサインが載っているのだが、146番の第1弾に載っているサインとまったく違う。「もしジャッキーがオリンピックに出たら」「武田鉄矢が語るジャッキー」などが目を引く。

1983･12･30／650円／280頁

172 ウルトラ怪獣対決大百科

『ウルトラマン』から『ウルトラマン80』までの8番組で描かれた、怪獣との対決名場面ベスト100を決定。アニメの『ザ・ウルトラマン』まで収録されているのがうれしいが、怪獣同士の戦いがないのが寂しい。

1984･1･5／650円／280頁

173 林葉直子の強くなる将棋大百科

大百科シリーズでは、唯一の将棋本。その監修にあたったのが、当時、女流名人・女流王将の2冠王で、将棋界のアイドル的存在として注目を集めていた15歳の女子高生プロ棋士・林葉直子である。林葉にとってあこがれの棋士だった中原誠も登場しているが、のちに不倫相手として騒がれることになろうとは、このときはだれも想像しなかった。中身は標準的な将棋教本。

1984･2･1／650円／288頁

174 怪獣もの知り大百科

町山智浩の遊び心が詰め込まれた、伝説の大百科

「この本は怪獣図鑑ではない！　怪獣対策の実戦マニュアルだ」と高らかに宣言して、怪獣の弱点などを公開。他にも「怪獣もし戦わば」など、今では実現不可能な企画が満載だ。
1984・2・10／650円／280頁

怪獣の王者を巻頭カラーで紹介……となれば、やはり満場一致でゴジラの登場でしょう。狭い誌面をさらに狭くして圧倒的な破壊力を見せつけちゃってます。

怪獣関連の大百科を語るとき、必ず話題にのぼる、ツッコミどころ満載の本である。

巻頭には、怪獣迎撃隊ＭＩＣ《ミック》入隊の手引なるものが掲載されていて、その日本支部長であるマチヤマ博士（本書執筆者の一人で、今や映画評論家として知られる町山智浩と見なしていいだろう）が、「キミもぜひＭＩＣに入隊して、我々とともに地球を守ろう!!」と勧誘してくる。なんと、この本は、読者が万一、怪獣に遭遇したとき、適切に対処できるよう作られた本だというのだ。

怪獣退治の方法を見つけ出すには、まず、怪獣の特徴を知る必要がある――というわけで、つづく「ジャンル別怪獣紳士録」では、１７０余体の怪獣を紹介し、凶暴性・パワー・武器・機動性・防御率を数値であらわしている。

しかし、トドラ→「四次元の世界にはいりこんだ人間を襲うことだけが楽しみという、さびしい怪獣だ」、ガイラ→「大ダコやサメと戦って少年時代を過したガイラは、人間を食うほどの不良になってしまった」、ゼットンⅡ世→「偉大な初代のあとのドラ息子というかんじだった。怪獣世界の紀伊国屋文左工門２代目と呼ばれている」というように、執筆者の主観や想像で書かれた文章がかなり多い。マチヤマ博士は、「これさえあれば、どんな怪獣でも撃退

ちょうどこの頃、バンダイの子会社ポピーから、コレクター向けのリアルな怪獣おもちゃが続々と発売された。怪獣冬の時代がようやく明けようとしていたのだ。

★Monster Intercept Crew★
怪獣迎撃隊
隊員証
これがMICのユニフォームだ!
ヒロシくん
ユッコちゃん

MICのユニフォームと隊員証。これに自分の写真を貼って名前を書けば、キミもMICの隊員だ!

ポピー・リアル・ソフト
怪《かい》獣《じゅう》
初代バルタンの完璧なモデル化に成功した。関節が自由に曲がるので人形アニメに利用可。
ポピー・リアルホビー
写真と比べてごらん。まったくリアルだろう。初代ガメラの雰囲気がよく再現されている。
上段左から、アントラー、ゴドラ星人、キング・ジョー、ギャンゴ、ゴモラ、イカルス星人、ミクラス、ガッツ星人、次の段、アボラス、バニラ、ヒドラ、ギエロン星獣、2代目ドラコ、ウィンダム、ベガッサ星人、ユートム、メトロン星人、次の段メフィラス星人、ガンダー、ゼットン、エレキング、キーラ、ベムラー、ネロンガ、バルタン星人、レッドキング、最前列、グビラ、ウルトラセブン、テレスドン、ウルトラマン（各¥500）

ドラゴン
中世の騎士物語から現代のSFまで
バーミスラックス
「ドラゴンスレイヤー」
恐竜グワンジ

こちらは西洋の怪獣たち。怪獣というよりは恐竜ですが、怪獣大好きっ子にとっては、どちらも〝カイジュウ〟で問題なし!!

怪獣もし戦わば
ゴジラ対ガメラ
●第1ラウンド●
●第2ラウンド●
ゴジラ対ガメラ

「怪獣もし戦わば」で描かれたゴジラ対ガメラの夢の対決。両者に花を持たせて引き分けかと思いきや、なんとゴジラが勝ってしまう。

できるはずである!」と自信満々だが、弱点についてまったく触れられていない怪獣もいるし、それどころか、「レッドキング、おまえこそ怪獣の中の怪獣だぜ!」と怪獣を絶賛している文も見受けられる。本書のコンセプトだった怪獣対策はいったいどこへ行ってしまったのか?

じつはこの本、怪獣対策の実戦マニュアルというのは隠れ蓑《みの》で、執筆者が怪獣に対する愛と妄想をふくらませた二次創作本といったほうがいい。

その傾向がもっとも顕著なのが、「怪獣もし戦わば」のコーナーである。ここでは、ゴジラ対ガメラとか、キングギドラ対ゼットンの宇宙最強対決とか、怪獣少年ならだれもが夢見たであろう人気怪獣同士の越境対決が描かれているのだ。それだけでも常識破りなのに、なんと、この本では、勝敗に完全決着をつけてしまっている。ガメラはゴジラによって東京タワーに串刺しにされてしまうし、ゼットンはキングギドラのかみつきと反重力光線の前に敗れ去る。

この企画、現在だったら実現不可能だろう。しかし、この自由奔放な想像力（妄想力というべきか?）と遊び心こそが、本書の最大の魅力になっている。この本が今なお愛着を持って語り継がれているのは、そんなところに要因がありそうだ。

175
プラモ 戦車軍団大百科

戦車のプラモデルだけで一冊作り上げてしまった、という点で驚異的。ただし、テレビ番組『サンダーバード』に登場した地底戦車ジェットモグラなど架空の戦車も扱っている。巻末には、戦車の歴史を掲載。

1984・2・15／650円／282頁

176
地球の謎大百科

地球の構造解説から始まって、自然災害の原因とおそろしさ、地球の最期までをマンガや写真でわかりやすく解説。とはいえ、明らかに当時ブームの水曜スペシャル「川口浩探検隊」を意識した頁もあって、「地底に幻の大洞くつを見た!!」なんていう、いかにもなフォトストーリーが掲載されているが、隊員は例によって全員、編集者。あくなきパロディ精神には脱帽である。

1984・2・20／650円／280頁

177
人気ヒーロープラモ大百科

ガンダムで火がついたヒーロープラモのブーム。波及的に売れるようになったマクロス、ボトムズ、オーガス、ゴジラ、ダンバインなどのプラモを紹介。ジオラマの作り方、ソフビ人形や超合金モデルも扱っている。

1984・3・1／650円／280頁

178
ゴジラ ガメラ大百科

日本を代表する二大怪獣、ゴジラとガメラを一緒に紹介してしまおうという無謀かつ挑戦的な一冊。両者を身長・体重・年齢(!)で比較したコーナーはあるものの、さすがに「ゴジラとガメラが戦ったら?」というような企画はない。

1984・3・10／650円／280頁

179
ラジコン 4WDオフロード大百科

組み立て済みのトイラジコンを使って遊ぶオリジナルゲームを特集。カラー頁で4WDトラックのモデルを使って、映画『恐怖の報酬』の吊り橋シーンを割りバシで再現しているのが、かなりマニアックだ。

1984・4・15／650円／280頁

180 おもしろ科学大百科

生物や地学、化学などに関するしごく真面目な内容を写真とイラストで面白おかしく伝えるのは、大百科のお家芸だ。電子レンジや冷蔵庫、蛍光灯のしくみ、海水がしょっぱいわけ、地球が丸いわけ、鳥肌がたつわけなど。

1984・3・30／650円／280頁

181 ウンチの大百科

なんと、ウンチに関するうんちくだけで一冊作ってしまった、大百科シリーズの中でも極北に位置する伝説の本。「ウンチでみる健康診断」あたりなら、当時の健康ブームに乗った企画ともいえるが、「もしもウンチに値打ちがでたら」とか「ウン動会でもりあがろう」とか「ウンチ紙相撲」とか、文字面だけで内容が想像できてしまうお下劣な記事が満載だ。

1984・4・25／650円／280頁

182 世界の怪奇大百科

『怪獣怪人』でスタートした大百科らしさ健在、の一冊。「ゴーレム」「ハエ男」「吸血博士」「巨人獣」「一角巨人」「金星ガニ」「火星バッタ」「溶解人間」などメジャーでない84の怪物をすべて映画のスチール写真付きで紹介。

1984・5・1／650円／280頁

183 オリンピック大百科

1984年のロス五輪開催前に発売。日本は80年のモスクワ大会をボイコットしたため、8年ぶりの参加となり、その盛り上がりが後押しした企画だろう。大会の見どころや過去の日本人選手の活躍などを紹介。

1984・5・10／650円／280頁

184 ルアーづり大百科

ブラックバス・フィッシングについて徹底的に解説。当時はまだ、ブラックバスの繁殖が現在ほど問題視されていなかったことが図らずもわかる。ほかにハス、ライギョ、ニジマスなどの釣り方も紹介。

1984・5・15／650円／288頁

怪獣プラモ大百科

円谷プロ公認、幻の『ウルトラQ』が載っているぞ!!

『怪獣もの知り大百科』とはまったく切り口が異なるものの、こちらも怪獣をネタに、とことん遊んでしまおうという本だ。
1984・6・1／650円／280頁

カラー頁で凝ったジオラマを紹介し、実際に作るにはどうするかをモノクロ頁で説明していく、という構成になっている。

怪獣のプラモデル作りのテクニックを紹介した本。当時発売されていた怪獣プラモやソフビのカタログをはじめ、マニアックな改造法やジオラマ作り、撮影技法に至るまで丁寧に解説されているが、とりわけ目を引くのは、怪獣プラモを利用したフォトストーリーである。

巻頭カラー頁に掲載されたフォトコミック「暴力はゴジラのパスポート」は、ゴジラとメカゴジラの対決を描いたものだが、バトルシーンは1コマしかなく、あっけなくゴジラが勝ってしまうという脱力系のストーリー。最後に出てくるオキシジェン・ミミハギワラという新兵器は、映画の『ゴジラ』に出てきたオキシジェン・デストロイヤーのパロディだが、プロレスラーつながりでデストロイヤー→ミミ萩原というギャグがわかった子どもはどれだけいたのだろう。

モノクロ頁には、ある意味、本書のメイン企画といってもいい「ウルトラQ1984」と銘打たれたフォトストーリーが掲載されている。異形の者に恋心を抱かれた少女マンガ家の話「I LOVE YOU」、いじめられっ子が作ったロボット怪獣が大騒動を起こす「歩け!怪獣」、異次元都市の怪異を描いた「のぞいた男」から成る全3話で、こちらは巻頭のフォトコミックとは違って、

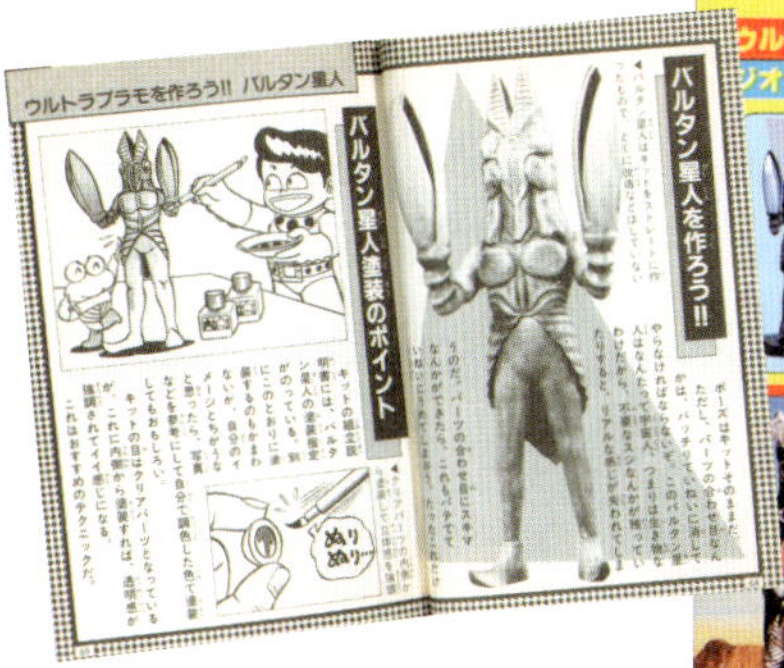

名勝負「バルタン星人対ウルトラマン」にも挑戦だ!! キットのバルタン星人をリアルに見せる方法を教えている。

巻頭カラーから、ゴジラのプラモを使ったフォトコミックを掲載。明らかに作り手が楽しんでいる。

モノクロ頁では「ウルトラQ1984」なるフォトストーリーを3話掲載。円谷プロ公認の『ウルトラQ』なのだ。

考えぬかれたシリアスなストーリー。オチも秀逸で、そのままドラマにしてもおかしくない出来栄えだ。出演者はプロの俳優やモデルを使っているわけではなく、編集者の知り合いをかき集めただけのようだが、実写の街並みに、オリジナル怪獣と見守る人間たちの写真を何重にも合成するなど、本物の特撮作品を強く意識した作りになっている。

もとはといえば、編集部のお遊び精神から生まれた自主映画的なノリの企画だが、じつはこれ、円谷プロの上層部にもシナリオチェックを受けて許可された公認の『ウルトラQ』だという。ウルトラシリーズの熱烈なファンでも知る人の少ない、幻の『ウルトラQ』だったのである。

各話のあとにはそれぞれメイキングまで付いているという力の入れようだが、考えてみれば、本のコンセプトとしてはこちらが本筋。ただし、フルスクラッチの怪獣製作や、ライターの炎を使う撮影方法など、子どもにはちょっと敷居が高すぎたかも……。

今読み返してみると、子どもにテクニックを教えるというよりは、大人たちが自分のテクニックを自慢するために作られた本のようにも思えるのだが、作り手が楽しむという大百科の精神は、この時期から顕著になっていったような気がする。

186 ジャッキー・チェン ずっこけクンフー大百科

ジャッキー第4弾。映画紹介は『五福星』『成龍拳』『プロジェクトA』、ほかはお遊び記事で「竹中直人vsジャッキー」は合成写真、「スペースクンフー物語」はウソ映画、強引で無理がある企画満載。

1984・6・5／650円／280頁

187 超電子バイオマン大百科

特撮系大百科のエポックメーキングとなった一冊。それまで特撮本では（どの社でも）掲載されることがほとんどなかった設定画を全キャラにわたって披露し、コミカライズを復活。撮影所取材では、ぬいぐるみを脱いでいるところなど「裏側を見せすぎだ」と後で東映に怒られたが、編集部は気にしなかったらしい。作りにバラつきがあったテレビ特撮系大百科の構成は、以降、本書がベースとなる。

1984・6・25／650円／280頁

188 恐怖体験大百科

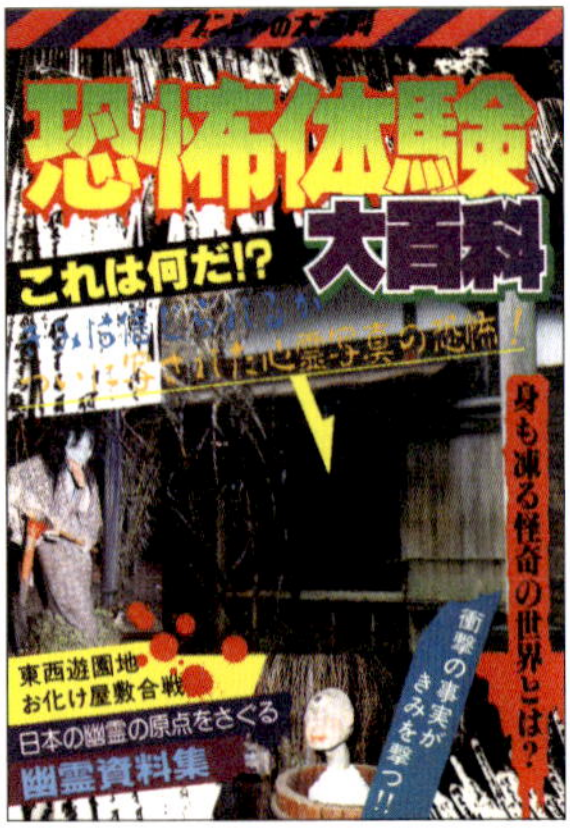

おなじみの怪奇系大百科だが、実話的な部分はほんの少しで、あとは遊園地のお化け屋敷取材や名作怪談の紹介など。フォトストーリー「だれもいない部屋に何かが起こる!?」はまったく恐くないんですけど…。

1984・6・30／650円／280頁

189 昆虫もの知り大百科

昆虫の意外な生態について詳しく解説した大百科。「昆虫なんでもナンバーワン」や「昆虫と友だちになれる飼育作戦」などの記事も掲載されている。著者は昆虫写真家として知られる山口進。

1984・7・5／650円／280頁

190 決定版 プロレス大百科

世界の一流レスラー200人を名鑑形式で紹介した、最後のプロレス大百科。当時のプロレス界は、タイガーマスクが新日本プロレスを離脱して正体を明かしたり、新団体UWFが設立されるなど、激動の時代だった。

1984・7・10／650円／280頁

191 おもしろ日本一大百科

怪しげな日本一がズラリ、いい加減さNo.1の大百科

カラー頁では「日本一大きいギョウザに挑戦!!」として、飯田橋の中華料理店が出す直径30センチの大ギョウザに挑む。ただし何を根拠に「日本一大きい」と断定したのかは不明である。

数ある大百科の中でも、きわめていい加減といわれる本。「トイレットペーパーほどき日本一」とか「ふうせんガムふくらまし日本一」とか怪しげな一芸が目白押し。
1984・7・20／650円／280頁

ユニークな「日本一」をズラリと紹介した本である。しかし、動物や乗り物、建築物、あるいは全国大会がおこなわれているけん玉日本一など、ちゃんとした根拠に基づいた「日本一」はほんの一部だけで、本書の大半を占めているのは、どーでもいい「日本一」だったり、編集部が独断と偏見で勝手に認定した、きわめて怪しい「日本一」だったりする。

たとえば「きみも日本一に挑戦だ!!」のコーナーでは、トランプを重ねてピラミッドを完成させる速さを競おうとか、クリップを跳ばす距離を競おうとか、ひと息で口笛をどれだけ吹けるかとか、いろいろな日本一への挑戦をあおっているけれど、本文を読んでみると、「この記録はまだ誰も挑戦していない」なんて書いてある。要するに、言った者勝ちの世界なのだ。

しかも、中には「ぬけ歯コレクション日本一」なんていうとんでもないものまで混じっている。自分のだけでなく友だちや動物の歯まで集めることを勧めているが、それって誇れるどころか、逆にまわりから気持ち悪がられるだけなのでは……。万が一、真に受けた子どもたちがいたとしたら、その行く末が心配だ。

また、おもちゃ集め、怪人作り、マンガコレク

「日本一ネコ」に会うため家を出てきたお嬢さんネコのテミー。風来坊のダンと友だちになり、日本一のネコになったときの夢を語る。

カメラマンが自分のネコをモデルに撮影したというフォトコミック「日本一のテミー」。シュールなストーリーが25頁にわたって展開される。

ついに「日本一ネコ」とめぐりあったテミー。だが日本一になるためには「オーディション」に参加するようにいわれる。はたしてテミーの運命やいかに？

ターという3人の日本一を取材して大々的に紹介しているのだが、これも本当に一番なのかという保証はどこにもない。だいいち、マンガコレクター日本一の人はケイブンシャの元編集者で、たまたま身近にいたから白羽の矢を立てられたに過ぎなかったりするのである。

さらに意味不明なのが、「日本一のテミー」と題されたフォトコミックだ。「日本一ネコ」になるため、現在の「日本一ネコ」を探してさまようテミーというメスネコの物語だが、「日本一ネコ」というのがどういうものなのか、ひとことも説明されていない。これを読んでいると、なにを基準に選ばれたのかさっぱりわからない「世界一位」の男が登場するダウンタウンの名作コント「お見舞い」を思い出さずにはいられないが、発表されたのは「日本一のテミー」のほうが先である。

よほどネタが足りなかったのか、それともありきたりの日本一を並べるだけではよしとしなかったのか、ほかにも、「ダジャレなぞなぞ日本一」など、編集者がテキトーにでっち上げたとしか思えない記事のオンパレード。ある意味、大百科の持ち味が存分に発揮された一冊ともいえるのだが、読者としては、この本にこそ、いい加減さ日本一の称号を与えたい。

192

実戦サッカー大百科

セルジオ越後による3冊目のサッカー大百科。実戦に役立つ48種類のミニゲームを紹介。大百科らしくサッカーマンガが掲載されているが、主人公のチームはどう見ても南葛イレブン(『キャプテン翼』)である。

1984・7・25／650円／280頁

193

恐怖スリラー大百科

頭の中で孵化するゴキブリ、肥溜めで溺れ死んだ女といった都市伝説系のネタが満載。児童書なのに、ヤコペッティの『世界残酷物語』などのショックムービーも平然と紹介している、伝説のトラウマ本だ(142頁参照)。

1984・8・1／650円／288頁

194

ウルトラマンタロウ大百科

ウルトラマンタロウを主人公にした長編映画『ウルトラマン物語』の公開に合わせて発売された大百科。映画はもちろん、テレビ版の『ウルトラマンタロウ』についても詳しく紹介されている。

1984・8・10／650円／280頁

195

ヒサクニヒコのおもしろ工作大百科

玩具コレクターでもあるマンガ家のヒサクニヒコが監修した手作りおもちゃの大百科。ただし当人は本文イラストを描いただけで、紹介したおもちゃのほとんどは編集者が適当に考案し作成したものだとか。

1984・8・30／650円／280頁

196

おもちゃロボット・カーメカ大百科

マシンロボやダイアクロン、ゾイドといった、玩具メーカーから生まれたロボットや、チョロQなどのアクションカーを特集。今では見かけないブロックマンやスクランブルエッグ、ウォッチQなども紹介されている。

1984・9・5／650円／280頁

197

珍獣奇獣大百科

コアラが日本の動物園に初登場し、ラッコが人気者になり、エリマキトカゲがCMで話題を呼んだ時代に発売された。ほかに、アイアイやナマケモノといった動物が、50音順に紹介されている。

1984・9・10／650円／280頁

198 秘境アマゾン大百科

なぜいきなりアマゾンなのか？　そう、またまた「川口浩探検隊」の影響である。ただし176『地球の謎大百科』と違って、南米アマゾンの地理や生物を真面目に紹介していて、お遊びの部分はほとんどない。

1984・9・25／650円／280頁

199 チョロ獣大百科

ゼンマイ駆動のミニカー「チョロQ」から派生したキャラクター玩具「チョロ獣」を前面に押し出した大百科。ただし本書刊行時、チョロ獣は20種類くらいしか発売されておらず、普通のチョロQの記事のほうが多い。

1984・9・30／650円／280頁

200 鉄道模型Nゲージ大百科

鉄道模型大百科の第3弾。内容はかなり濃いが、それでもまだ頁数が足りないといった趣きで、この道の奥深さを感じさせてくれる。また200号記念として、巻末にはプレゼントコーナーが設けられている。

1984・10・5／650円／280頁

201 まんがイラスト大百科

この手の企画が出てくるのが大百科のいいところ。マクロスの一条輝からアムロ・レイ、ナウシカ、ドラえもん、ルパン三世、ウルトラマン、ゴジラまで95の人気キャラクターの描き方を解説。なんとなく描けそうな気になる。

1984・10・10／650円／280頁

202 宇宙刑事シャイダー大百科

宇宙刑事シリーズ最終作を第31話まで紹介。ヒロインのアニー役・森永奈緒美には、インタビューの他に子ども時代の写真まで載せる入れ込みようだ。『月刊少年キャプテン』で描いていたTOMIがコミカライズ担当。

1984・10・25／650円／280頁

203 日本のミステリーゾーン大百科

青森県新郷村にあるキリストの墓、秋田県大湯町のストーンサークル、奈良県明日香村にある宇宙人の墓、和歌山県新宮市にある徐福の墓、徳島県・剣山に眠るソロモンの秘宝…など100か所のあやしげ～なスポットを紹介。

1984・11・1／650円／280頁

206 日本 謎の伝説大百科

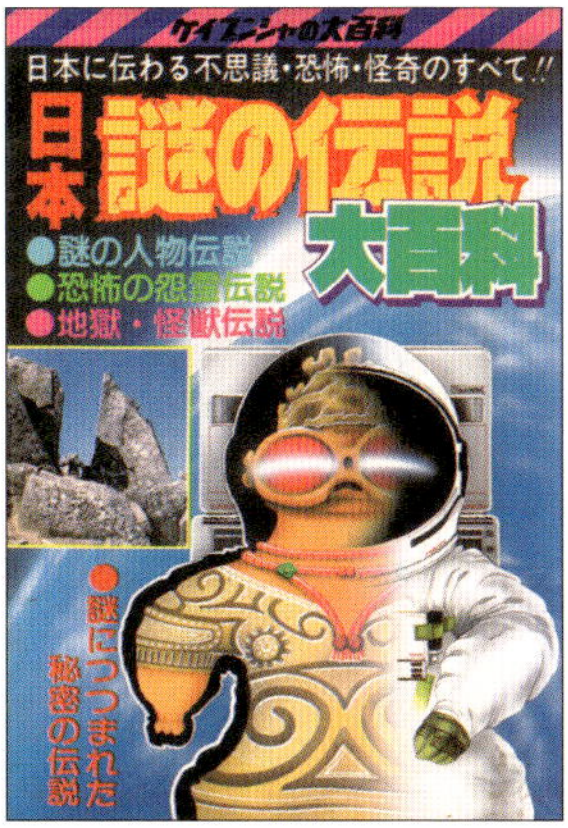

日本のピラミッドや埋蔵金、歴史上の人物にまつわる伝説、怨霊の言い伝えなどを紹介した大百科だが、わずか1か月前に発売された203『日本のミステリーゾーン大百科』とネタがかぶりすぎているぞ!!

1984·12·5／650円／280頁

205 ジャッキー・チェン スーパーアクション大百科

『スパルタンX』公開に合わせて発売された第5弾。無茶な誌面構成は相変わらずで、「もしもジャッキーが○○だったら」とか「ジャッキー占い」「ジャッキークイズ」など謎のケイブンシャ企画で満ちている。

1984·11·20／650円／280頁

204 動物びっくり超能力大百科

197『珍獣奇獣大百科』と同じく、動物ブームに便乗して企画されたと思われる一冊。魚類から哺乳類まで、動物の持つ不思議な能力、知られざる生態や習性などを詳しく紹介した大百科である。

1984·11·5／650円／280頁

209 決定版 なぞなぞクイズ大百科

なぞなぞやクイズ、パズルを650問掲載した大百科。子どもたちのあいだで、ダジャレなぞなぞがブームになりはじめた頃で、本書を皮切りに、なぞなぞ本も大百科の定番になっていく。「心霊写真が撮れる場所として有名なのは?」というような恐怖クイズがあったり、世界各国をテーマにしたクイズに「世界一周ウルトラクイズ」なんていうタイトルが付けられているところに、当時の流行がうかがえる。

1984·12·25／650円／280頁

207 最新メカ ラジコンバギー大百科

ラジコンの中でも、オフロードバギーに的を絞った大百科。当時、人気の高かったホーネット、サイドワインダー、プログレス、ハイラックス44B、モデファイド・フロッグの5大モデルについて詳しく紹介している。

1984·12·10／650円／280頁

208 ゴジラ大百科

遊びすぎて笑える、ゴジラの魅力全開本

1984年の新作『ゴジラ』を特集した大百科だが、作品紹介以外の部分がじつに楽しい一冊だ。

1984・12・20／650円／280頁

ゴジラの「リアルプラモ軍団」と「ブリッコ軍団」が戦ったら？ リアルプラモが「ブリッコのカワイさにやる気をそがれて、ブリッコの勝ち」らしい。

9年ぶりに製作された東宝のゴジラシリーズ最新作『ゴジラ』（1984年版）の公開に合わせて発売された大百科である。ゴジラや登場人物の紹介、メイキング記事などがメインになっているが、特徴的なのは、お遊び部分が豊富なことだろう。

なにしろ、ストーリー紹介にあたる「スーパー・フォト・ノベル」からして、首都防衛用に12万の兵力が準備されたなど劇中では語られない設定が想像で書かれていたり、古舘伊知郎風の実況中継が盛り込まれていたりする。さらに、「ゴジラ壊してHOWマッチ」というコーナーでは、新作映画における被害額をシーンごとに算出。その総額はなんと6兆円にも及ぶそうだ。

また、「巨大生物学講座」として、ゴジラを身長2メートルに置き換えた場合の身体スペックを計算し、当時、大相撲きっての巨漢だった大関・小錦と比較してみせる。この場合、ゴジラの体重は782キロ、肺活量は14970㏄で、いずれも小錦の3〜4倍、握力にいたっては860キロで、小錦の10倍近いパワーが示されている。

空想世界の設定を現実に持ち込んでシミュレートする試みは、のちに柳田理科雄が『空想科学読本』で用いて話題となったが、本書はそれより10年以上も前にその手法を先取りしていたのだ。

212
スーパーメカ ロボット大百科

アニメや特撮に登場するスーパーメカやロボットを、操縦法や変形システムなど、さまざまな切り口で紹介した大百科。フィクションの世界だけにとどまらず、産業用ロボットまで扱っている。

1985･2･20／650円／280頁

211 完全版
機動戦士ガンダムプラモ2大百科

完全版と入っているが、かなり誇大表示である。プラモ紹介というよりもモビルスーツやメカの紹介本だ。プラモ化されていないメカも入っているし、ザクキャノン開発秘話等は本当に公式なのか、疑問符がつく。

1985･2･5／650円／280頁

210 任天堂
ファミリーコンピュータ大百科

ついに登場、大百科初のファミコン本である。ゲームを紹介するカタログ的な内容だったが、ソフト購入のガイドブックとして重宝されたようで、以後大百科はファミコンだらけになる（2年間でパート9まで刊行）。

1984･12･30／650円／280頁

215
日本の妖怪大百科

「日本妖怪名鑑」をメインに、300体もの妖怪を紹介した大百科。この年10月から放映が開始されたテレビアニメ『ゲゲゲの鬼太郎』第3シーズンを先取りしたかのような、水木色の濃い内容になっている。

1985･3･20／650円／280頁

214
迷路パズル大百科

巨大迷路がブームになりはじめた頃に発売された大百科で、フォト迷路やマンガチックな迷路などが楽しめる。巻頭カラーに「まゆちゃんのまちがいさがし」というロリ度の高いクイズがある。

1985･3･10／650円／280頁

213 ユン・ピョウ
チャンピオン鷹大百科

ユン・ピョウが主演したサッカー映画『チャンピオン鷹』の公開に合わせて発売。質問コーナーで「日本のファンが最も印象深い」とリップサービスしたのに、「日本語何か覚えた?」には「話せないんだ!!」の一言で終わっている。

1985･3･1／650円／280頁

216 ラジコンカタログ大百科

発売中のラジコン製品をカタログ形式で紹介した大百科。車、バイク、飛行機、ボートなどのモデルはもちろん、プロポやパーツまで網羅している。'92年版まで毎年、新商品を追加する形で発行された。

1987・11・20／680円／246頁

1986・11・30／680円／248頁

1986・3・5／650円／280頁

1985・4・10／650円／280頁

1992・2・17／680円／190頁

1990・12・20／680円／222頁

1990・1・10／680円／222頁

1988・12・9／680円／222頁

219 恐怖の怨霊大百科

すっかり定番となった心霊恐怖系の大百科。全国114か所の怨霊ゾーンを紹介し、霊に関する怖い話や心霊写真を満載、全国の青少年にトラウマを植えつけた。ご丁寧に、万一死霊に取り憑かれた場合の対処法も。

1985・5・10／650円／280頁

218 任天堂 ファミリーコンピュータ2大百科

ファミコン大百科の第2弾。『アイスクライマー』『バルーンファイト』『バンゲリングベイ』など、当時の最新ゲームを紹介している。ゲームのほか、ファミリーベーシックV3についてもかなり詳しく解説。

1985・5・5／650円／280頁

217 ラジコンレース大百科

ラジコンレースで好成績を出すコツをガイドした大百科。当然、チューンナップに関する記事が多い。また、タミヤが初めて発売したバギータイプの4WDラジコン、ホットショットを特集している。

1985・4・30／650円／280頁

222 任天堂 ファミリーベーシック大百科

ファミコンでオリジナルゲームが作れる周辺機器として発売されたのがファミリーベーシック。その使用方法を解説したのが本書である。マンガ以外は、コマンドの解説とプログラムの羅列である。

1985･6･5／650円／280頁

221 電撃戦隊チェンジマン大百科

この時期の特撮系大百科は、マニア向け企画が安定しつつある時期で、本書では前作『バイオマン』の後半ストーリー、大泉撮影所&後楽園ゆうえんち取材、劇場版第1弾のシナリオ完全収録と超充実。

1985･6･25／650円／280頁

220 アニメ美少女《ヒロイン》大百科

164『アニメアイドル大百科』の系譜を継ぐ本だが、今回は男性アイドルを除外し、美少女に的を絞っている。主人公だけでなく、ライバルも取り上げているので、193人にも及ぶ美少女が拝める内容になっている。

1985･5･25／650円／280頁

95

225 鉄道車両メカ大百科

新幹線から路面電車まで、鉄道車両をカタログ的に紹介した大百科。車両内部の詳細な見取り図を掲載するなど、内容はかなりマニアックだ。巻末には、大井川鉄道のSL同乗記を掲載している。

1985･7･1／650円／280頁

224 オートバイ大百科

国内外のオートバイをスペックにこだわって紹介しているのがケイブンシャらしい。高校生ライダーを主人公にした、しげの秀一のバイクマンガ『バリバリ伝説』が人気を博していたのが、この時期だった。

1985･6･30／650円／280頁

223 湖・沼づり大百科

ブラックバスをはじめとする、26種の淡水魚の釣り方をレベル別に解説した大百科。ルアー&フライ釣りに適した全国の湖・沼・池も紹介している。釣り名人として知られる前田公雄が監修にあたっている。

1985･6･10／650円／280頁

226 決定版
なぞなぞクイズ2大百科

プロ野球、プロレス、ラジコン、文房具、怪談、妖怪、オカルト、探偵など、さまざまなジャンルのクイズやパズル、なぞなぞが満載された大百科。この類のクイズ本は安定した人気があったようだ。

1985･7･5／650円／280頁

227
恐怖体験2大百科

こちらも安定した人気を誇っていた、心霊恐怖系の大百科。タイトルは「恐怖体験」とか「恐怖の怨霊」とか、いくつかのパターンがあるが、やっていることはどれも同じ。どこまでが実話なのかも謎である。

1985･7･30／650円／280頁

228 任天堂
ファミリーコンピュータ3大百科

『スパルタンX』『レッキングクルー』『サッカー』『ディグダグ』『スターフォース』『ドアドア』『ロードファイター』などを紹介。一世を風靡した高橋名人が登場するのは、このあたりからだ。

1985･8･5／650円／280頁

229
オフロードカー大百科

4輪、2輪、ラジコンを問わず、世界のオフロードカーを紹介。ちょうどパリ・ダカールラリーが注目されはじめた頃で、サファリラリーや世界一過酷といわれたキャメルトロフィーについても詳細に解説。

1985･8･10／650円／280頁

230
巨獣特捜ジャスピオン大百科

メタルヒーローシリーズ4作目を第24話まで収録。恒例となった特撮取材では、「巨獣製造工場に潜入」として着ぐるみ製作のレインボー造型企画を訪ねている。そこに、ちょうど制作中であった謎のドラゴン系モンスターが映っているのだが、これは東映特撮では未使用、後にアメリカB級映画『巨大怪獣ザルコー』(1997年)の主演怪獣となる。他にも『大怪獣襲来グジラ』(98年)の着ぐるみが垣間見える。

1985･8･30／650円／280頁

234 決定版

なぞなぞクイズ3大百科

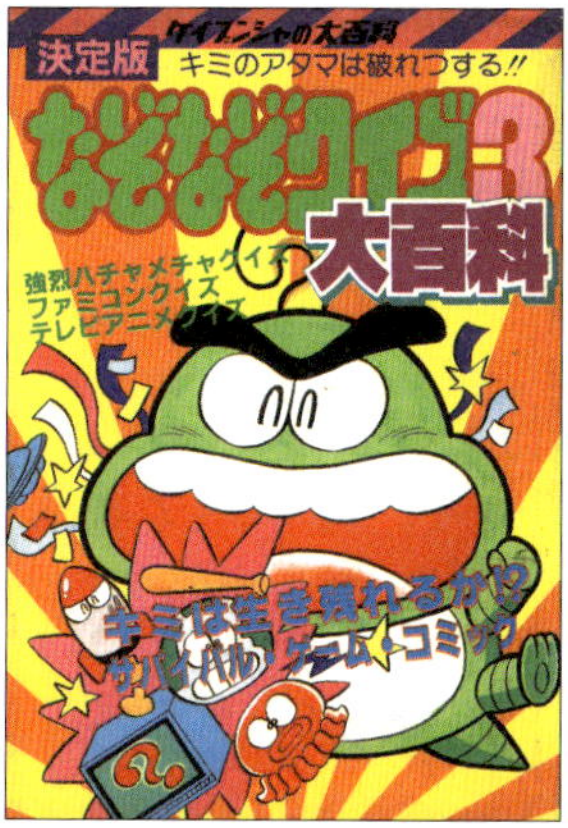

なぞなぞのネタが尽きて単なるダジャレになってきた。〈いつもいじけている西武ライオンズの選手は?〉答は石毛(イジケ)。〈いつもタワシで体をゴリゴリ洗っているお笑いタレントは?〉答はビートたけし(たわし)。

1985・9・25／650円／280頁

233

機動戦士Z《ゼータ》ガンダム大百科

ガンダムの新テレビシリーズを第27話まで収録。各話を「作画度」「ストーリー度」「オモシロ度」で評価しているが、そんな主観で優劣を付けてよかったのだろうか。小説「モビルスーツヒーロー列伝」が熱い。

1985・9・20／650円／280頁

231

特急大百科

鉄道系大百科の顔として、鉄道少年のあいだではスター的存在になっていた、南正時が緊急特写した特急の大百科。撮影データ付きの特急大名鑑、伊豆急の最新特急紹介、特急のりつぎの旅などが掲載されている。

1985・9・5／650円／280頁

237

悪役ヒーロー大百科

『ジャスピオン』の「マッドギャラン」、『バイオマン』の「バイオハンター・シルバ」の登場などでかっこいい悪役が人気に。「正義の味方をやっつけろ!!」というキャッチコピーのもと、特撮番組の敵役を100人紹介している。

1985・10・25／650円／280頁

236

まんがイラスト2大百科

201『まんがイラスト大百科』の続編的な内容。アニメキャラの描き方という基本的な構成は同じだが、今回はカラーイラストの描き方に力が入っている。「特撮ヒーロー絵描き歌」といったお遊び企画も追加された。

1985・10・10／650円／280頁

235

ヒーロー必殺技大百科

最新のアニメ・特撮作品を中心に、ヒーローの必殺技を紹介。ヒーロークイズやヒーローメカの分析コーナーも。背表紙に『勝手に!カミタマン』に登場したザ・ネモトマンを持ってくるセンスがうれしい。

1985・10・1／650円／280頁

232 恐怖の霊大百科

宜保愛子を発掘した大百科、戦慄の第1弾!!

世紀の霊能力者・宜保愛子が大百科に初登場した記念すべき一冊。表紙に心霊写真を掲載するのが心霊系大百科のお約束だった。

1985・9・10／650円／280頁

トップ記事として大きく扱われているのが、宜保愛子による青木ヶ原樹海の霊視ルポ。そこでカメラがとらえたものとは……?

ケイブンシャの大百科には怪奇・オカルトを扱ったものも数多く存在するが、なかでも人気が高かったのが、稀代の霊能力者と呼ばれた宜《ぎ》保《ぼ》愛《あい》子《こ》が関わった本で、その第1弾となったのが本書である。

宜保愛子といえば、1980年代後半から90年代前半にかけてテレビの心霊番組でひっぱりだこになった人気者だが、本書が発売された時点ではまだ、その名を知る人はさほど多くなかった。しかし、彼女自身の経歴や過去の恐怖体験を詳しく紹介することで、その能力に信憑性《しんぴょうせい》を持たせているため、彼女による青木ヶ原樹海の霊視ルポや心霊写真の鑑定といった特集記事も妙に説得力のあるものになっている。

宜保愛子がテレビでブレイクするのは、この少しあとだが、「感じます。非常に強く感じます」とか、「ほら、あそこ」とか、「わあ、やだあ!!」とか、本人のセリフによって臨場感を盛り上げる記事の手法は、テレビの心霊番組のスタッフもおおいに参考にしたのではないだろうか。

ブームのさなかには多忙を極めたはずの宜保愛子だが、ケイブンシャには協力的で、彼女関連の大百科は90年の411『心霊写真4大百科』まで、なんと16冊にも及ぶ。本人の義理堅さもあっただろうが、編

宜保愛子が心霊写真の鑑定をおこなうコーナー。これも後の大百科で独立した企画となっていく。

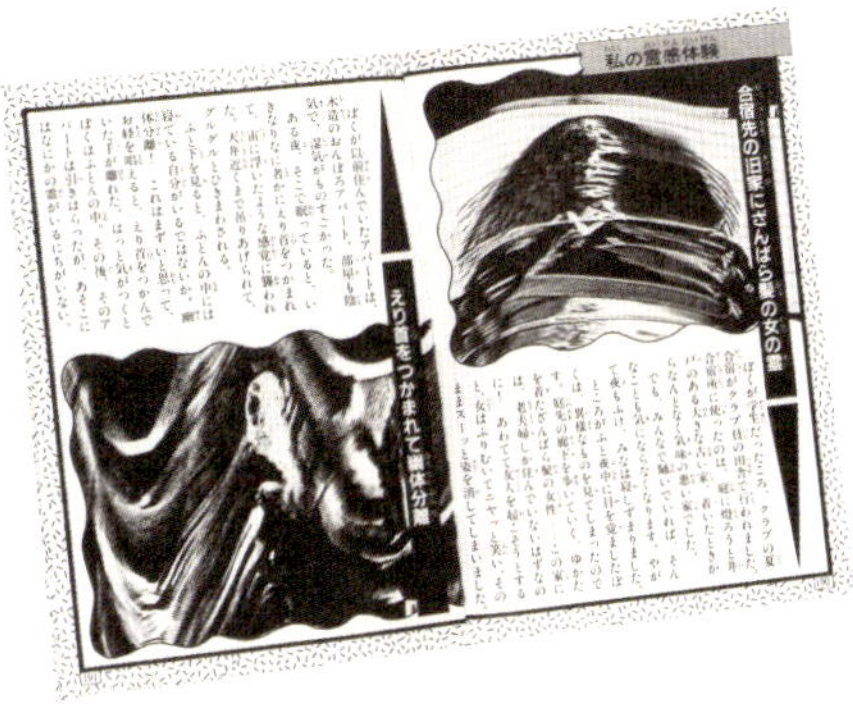

これが、画像を動かしながらコピーすることで生み出された怪奇系大百科ならではのイラスト。おどろおどろしさを出すには熟練のテクニックが必要だ。

幽霊センサーを名乗る萩原一則さんもいろんな場所で霊視探検をおこなっている。その萩原さんが描いた幽霊のスケッチ。一度見たら忘れることのできない不気味な絵だ。

集部には「宜保先生に鑑定してほしい」という読者からの心霊（？）写真が山のように送られてきたというから、ケイブンシャとしてもネタには困らなかったのだろう。たとえ本物の心霊写真でなくても、鑑定するだけで頁を稼げたから、いくらでも新刊を出すことができたともいえるが……。

　ところで本書では、萩原一則さんという霊能力者による霊視ルポも取り上げているのだが、その方が描いた霊のスケッチもなかなか怖い。タクシーのリヤウィンドウいっぱいに広がる不気味な顔や、デパートのトイレに浮かぶ上半分だけの顔、山中湖畔で宙に浮かぶ首なし男など、これらの絵でトラウマを植えつけられた子どもも多いのではないだろうか。

　そのほか、「霊界のなぞ」とか「霊能力トレーニング講座」とか「霊界Q＆A」とか、霊界や霊能力に関する記事が満載されているが、怪奇マンガや恐怖読み物などのフィクション系にも多くの頁を割いているところが、いかにも大百科らしい。ちなみに、それらの記事で多用されているおどろおどろしくゆがんだイラストは、画像を動かしながらコピーを取ることによって作り出されたもの。怪奇系の編集者には、このコピーテクニックの腕前も要求されたのだ。

238
サッカー必勝テクニック大百科

サッカーの大百科といえばセルジオ越後が代名詞だったが、ここにきて日本サッカー界最大のヒーロー釜本邦茂が監修者として名乗りをあげた。後半では、ラモスや都並など、のちのJリーガーが紹介されている。

1985・11・1／650円／280頁

239
電動ラジコン大百科

電動ラジコンというのは、エンジンではなく、モーターで駆動するラジコンのこと。本書は、カーラジコンだけでなく、飛行機や船など、陸・海・空の電動ラジコンを紹介。製作や操縦のテクニックも解説されている。

1985・11・5／650円／280頁

240 任天堂
ファミリーコンピュータ4大百科

ついに『スーパーマリオブラザーズ』が登場。ただし、その解説はたったの13頁で、ラジカル・カンパニーによるコミカライズのほうがボリュームがある。ほかに『プーヤン』や『ドルアーガの塔』などを紹介。

1985・11・10／650円／280頁

241
全自動車大百科

自動車をカタログ形式で紹介した大百科だが、「全」と付くだけあって、市販されている一般的な乗用車だけではなく、日本ではお目にかかれない海外の特殊車両まで掲載している。カーマニア必携の一冊だ。

1985・12・1／650円／280頁

242 エミ・ペルシャ・マミ
魔法の少女大百科

スタジオぴえろ制作の魔法少女シリーズ『魔法の天使クリィミーマミ』『魔法の妖精ペルシャ』『魔法のスターマジカルエミ』を紹介。ただし、『マジカルエミ』は放送中だったため、前半までの収録となっている。

1985・12・5／650円／280頁

243
Nゲージ2大百科

200『鉄道模型Nゲージ大百科』の好評を受けて、1年余りで続編が登場。ひと味ちがう日本家屋のストラクチャーやプロが作った小型レイアウトなど、より深くNゲージを極めるためのテクニックが多数紹介されている。

1985・12・10／650円／280頁

244 ベスト
オフロードラジコン大百科

Nゲージ、ラジコン、プラモは定期的に大百科に登場する。ホットショット、オプティマ、4×4バイパー、ブルドッグAWDS、ゼルダ、フォックス、ワイルドワン、ターボスコーピオン、ペガサス、バッファローの10機種を特集。

1985・12・15／650円／280頁

245 決定版
なぞなぞクイズ4大百科

にゃんにゃんネコクイズ、宇宙クイズ、フォトパズル、地球の危機クイズなどを掲載。第4弾とあってさすがにネタ切れの感が否めないが、合間に登場する「よしみる」のコミックがいい味を出している。

1985・12・25／650円／280頁

246 任天堂
ファミリーコンピュータ5大百科

『マッハライダー』『ポートピア連続殺人事件』『スペランカー』などを紹介。大百科別冊として、「ゲーム必勝法シリーズ」なる攻略本も開始、なんとゼビウスのそれはほぼ一晩で作り上げてしまったとか。

1985・12・30／650円／280頁

247 決定版
パズルクイズ1大百科

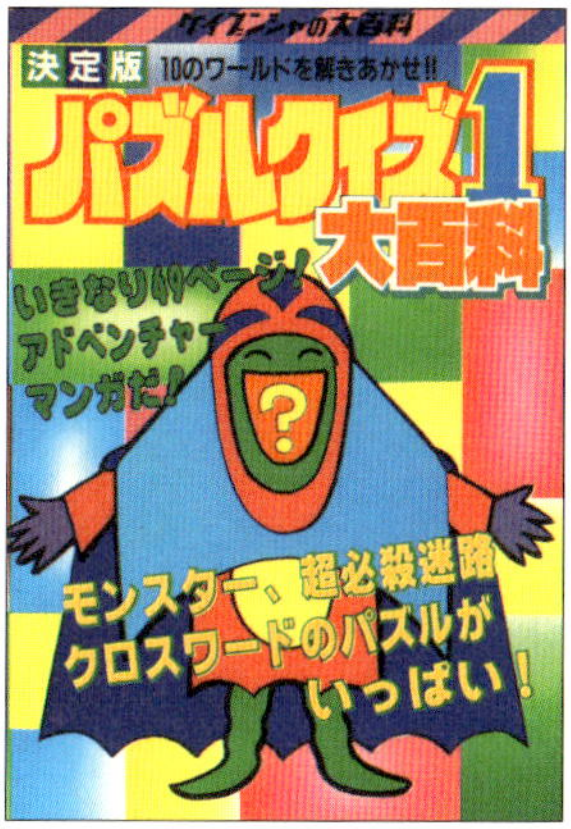

特別な知識を必要としない、迷路やクロスワードなどのパズルを大量に掲載した本。巻頭からいきなりゲームブックスタイルのアドベンチャーマンガが49頁にわたって掲載されているのが斬新だ。

1986・1・30／650円／280頁

248 ファミリーコンピュータつくり面大百科

自分でコースなどを作成できる『ロードランナー』『マッハライダー』『レッキングクルー』『バトルシティー』の4ゲームを特集。出せば当たるファミコン大百科、上層部の指示で無理矢理作らされたのでは？

1986・2・5／650円／280頁

249 10大戦隊大百科

ゴレンジャーからフラッシュマンまでのスーパー戦隊シリーズ全10作をまとめた一冊。過去の大百科で逃されていたバトルフィーバー、ゴーグルファイブ、チェンジマンの全話解説には使命感のようなものを感じる。

1986・2・10／650円／280頁

250 任天堂ファミリーコンピュータ全ゲームカタログ大百科

それまでに発売された103本のファミコンソフトをカタログ形式で紹介した大百科。ほとんどが既刊の大百科で扱っているソフトなので、編集作業は楽だったはず。それでも、けっこう売れたようだ。

1986・3・1／650円／280頁

251 アリオン大百科

安彦良和原作・監督の劇場版アニメ公開に合わせて発売。ストーリー紹介や設定画・絵コンテに加えて、「ギリシャ神話の世界」まで特集する力の入れよう。ただ徳間書店主導のため関連書籍も多く、本書は埋もれてしまった感がある。

1986・3・20／650円／280頁

252 阪神タイガースヒーロー大百科

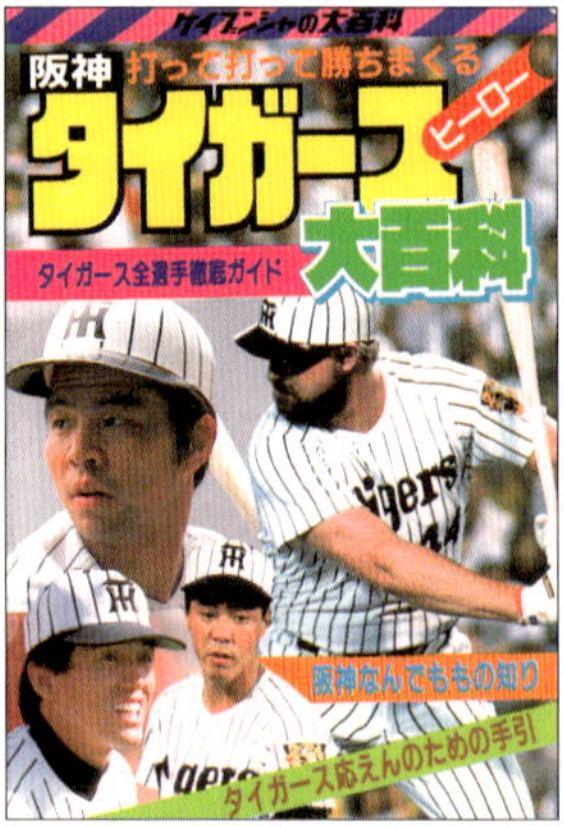

前シーズン、21年ぶりのリーグ優勝と日本シリーズ初制覇をはたした阪神タイガース。巨人の大百科ならたくさん出ているが、ほかの球団で単独の大百科が出たのは本書だけである。しかし、この年は3位だった。

1986・3・25／650円／280頁

253 パソコンゲーム大百科

当時発売中だったパソコン用ゲームを110本紹介した本。児童書にもかかわらず、アダルトゲームまで掲載しているのがあっぱれ。今から見ると古臭いゲームばかりだが、本書はそんな時代の郷愁ただよう一冊である。

1986・4・5／650円／280頁

254 野外冒険2大百科

44『野外冒険大百科』は遠藤ケイの著書だったが、こちらは野外生活愛好会という団体が編集したもので、ボーイスカウトが協力している。ただし内容に大きな違いはなく、どちらか一冊を持っていればこと足りる。

1986・4・30／650円／280頁

255 任天堂ファミリーコンピュータ6大百科

ディスクシステムが登場して、ファミコンに新旋風が起こった時期の大百科。その第1弾ソフトである『ゼルダの伝説』をはじめ、『グーニーズ』『影の伝説』など、19本の新作ゲームが紹介されている。

1986・5・5／650円／280頁

256
拳銃 エアーソフトガン大百科

エアーソフトガンのカタログや楽しみ方、チューンナップ方法がメインだが、モデルガンや実銃の頁も充実している。シューティングスタイルまで解説するなど、拳銃マニアの趣味が色濃くあらわれた本である。

1986･5･30／650円／280頁

257
アドベンチャーゲーム必勝法大百科

パソコンのアドベンチャーゲーム(AVG)の攻略法を紹介した大百科。20本のゲームについて解説しているが、中には『ウィザードリィ』のようなロールプレイングゲームも混じっている。

1986･6･1／650円／280頁

258
恐怖の怨霊2大百科

232『恐怖の霊大百科』につづいて宜保愛子が登場。なぜ『恐怖の霊2大百科』としなかったのか謎である。心霊地帯や幽霊屋敷のルポ、心霊写真の鑑定などを掲載。矢印で示された表紙の心霊写真が気になる。

1986･6･5／650円／280頁

259
クワガタ採集・飼い方大百科

昆虫写真家の山口進が189『昆虫もの知り大百科』につづいて執筆した、クワガタの大百科。その生態や飼育方法、全国採集地ガイドなどを掲載している。昆虫関連書も安定した人気があった。

1986･6･10／650円／280頁

260
ラジコン プラモ Nゲージ 塗装《カラーリング》大百科

ラジコン、プラモデル、Nゲージを「まるで本物」のように仕上げる塗装テクニックを初心者でもわかりやすいように解説した大百科。カラーリングの本なので、重要な部分はカラー頁を有効に使って紹介している。

1986･6･30／650円／280頁

261
恐竜もの知り大百科

ロングセラーとなった47『恐竜大百科』につづく恐竜本。恐竜の生態や絶滅した原因、化石に関する情報など、恐竜に関する豆知識が満載されている。子どもたちにとって、恐竜はいつの時代も人気者なのだ。

1986･7･1／650円／280頁

262
怪奇ミステリー2大百科

基本的にはいつもの怪奇系だが、ちょっと変わっているのは、稲川淳二、山瀬まみ、三原じゅん子ら芸能人の恐怖体験が掲載されていること。稲川淳二はこの頃から怪談話のオーソリティだったのか!?

1986・7・5／650円／280頁

263 任天堂
ファミリーコンピュータ7大百科

『スーパーマリオブラザーズ2』と『ドラゴンクエスト』という2大人気ゲームが登場。そのほか、『謎の村雨城』『グラディウス』など全13本のゲームが紹介されている。攻略頁が増えてきたのが特徴だ。

1986・7・15／650円／280頁

264
怪奇映画《ホラームービー》大百科

『エルム街の悪夢』や『死霊のはらわた』などスプラッター映画がブームだった時代に登場した、ホラー映画の大百科。特殊メイクのテクニックやビデオソフトのリストも掲載。相変わらずR指定もおかまいなし。

1986・7・30／650円／280頁

265
超新星フラッシュマン大百科

戦隊大百科の6作目。後に『キディ・グレイド』や『AVENGER』などの脚本・シリーズ構成で名を馳せるきむらひでふみのマンガが異彩を放つ。以降きむらは、特撮系大百科のコミカライズをかなり担当。

1986・8・5／650円／280頁

266
天空の城ラピュタ大百科

スタジオジブリのアニメを扱った唯一の大百科である。宮崎駿のインタビューを掲載しているほか、大百科らしく、宮崎作品に登場した美少女に関する考察も。この後ジブリ関係のムックは、徳間書店からの発売のみに。

1986・8・10／650円／280頁

267
ロールプレイングゲーム必勝法大百科

『ドラゴンクエスト』の大ヒットで一般にも認知されるようになったロールプレイングゲームを特集。『ウィザードリィ』『ウルティマ』などの名作RPGから当時の最新作まで、巻末ではテーブルトークRPGも紹介。

1986・8・15／650円／280頁

268 決定版
パズルクイズ2大百科

毎度おなじみのパズル・クイズの大百科。スプラッターをモチーフにしたパズルが掲載されているあたり、ホラーブームだった時代をあらわしている。ほかに、はじめてクイズ、サッカークイズ、恐竜パズルなど。

1986･8･25／650円／280頁

269
完成品ラジコン大百科

自分で組み立てるホビーラジコンではなく、組み立て済みの形で売られているトイラジコンに焦点を絞った大百科。商品カタログのほか、操縦テクニックや改造法、メンテナンスなどについても紹介。

1986･9･15／650円／280頁

270 任天堂
ファミリーコンピュータ8大百科

『ワルキューレの冒険』『がんばれゴエモン』『メトロイド』など、16本の最新ゲームを紹介。この頃になると、読者は攻略本に流れ、紹介記事をメインとするカタログ的なファミコン本の売り上げは減少していた。

1986･9･25／650円／280頁

271
機動戦士ガンダムZZ《ダブルゼータ》大百科

1986年3月から始まったガンダムテレビシリーズ第3弾を第30話まで紹介。今ではオフィシャルな後付け設定が出来てしまったためすべての解説が正しいわけではないが、文章には当時のパッションが強く感じられる。

1986･10･1／650円／280頁

272
鉄道模型2大百科

人気のNゲージをはじめ、Zゲージから HOゲージ、ライブスチームに至るまで、さまざまな規格の鉄道模型について解説した大百科。グレードアップ講座では、ブルートレインを大特集している。

1986･10･5／650円／280頁

273
時空戦士スピルバン大百科

メタルヒーローシリーズ5作目を第28話まで収録。出演者インタビューは最多の12人! 特集の東映ビデオガイド「ギャグメーカー研究」がじつに楽しい。本書から定価が680円に値上がりする。

1986･10･25／680円／280頁

274

恐怖！オカルト大百科

『ポルターガイスト2』と『ハイランダー悪魔の戦士』の日本公開に合わせて発売。この2作品にからめながら、心霊現象やモンスター、UFO、超能力について解説している。文章量は多めで、読みごたえあり。

1986･10･30／680円／280頁

275

プラモデル2大百科

プラモデル製作のテクニックを上達させる大百科。車、オートバイ、飛行機、船といった乗り物プラモが中心だが、当然ガンプラなどにも応用できる。基本テクニックは、マンガでわかりやすく解説されている。

1986･11･1／680円／280頁

276 地上最強のエキスパートチーム

G.I.ジョー大百科

アメリカのテレビアニメ『G.I.ジョー』を単独で扱う、という勇気ある企画で、当然日本ではこの本が唯一。24話までのストーリーを掲載。売れ行きは振るわなかったようだが、今となっては貴重な資料だ。

1986･11･25／680円／248頁

277

ヒーローメカ2大百科

『月光仮面』から『時空戦士スピルバン』まで、新旧のテレビ特撮番組82作品から、845種類に及ぶメカを紹介。『仮面ライダーV3』や『秘密戦隊ゴレンジャー』の主役を務めた宮内洋のインタビューも掲載されている。

1986･12･1／750円／264頁

278

恐怖ミステリー冬の体験大百科

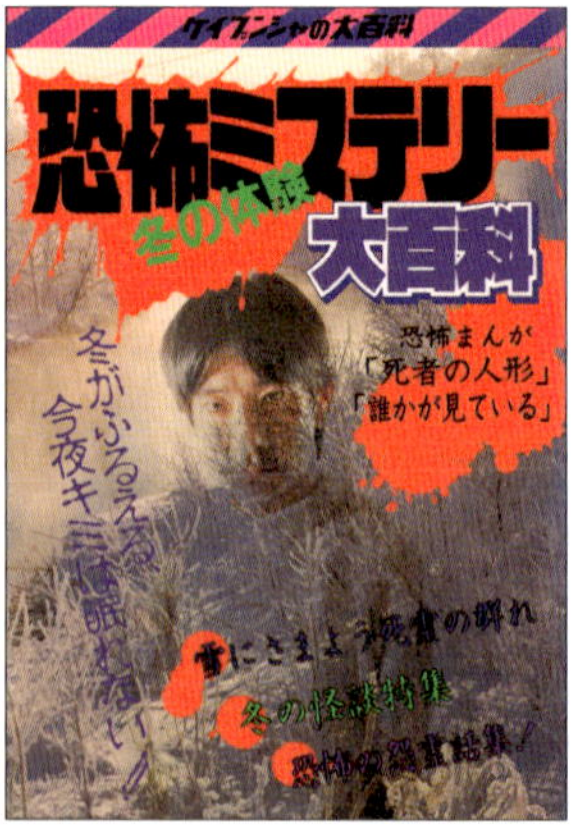

怪談といえば夏、という通念をくつがえし、冬の恐怖体験談を冬に読もう、というコンセプトで作られた大百科。読み物とマンガによる構成は従来どおりだが、以降、季節を問わず、恐怖ものが発行されるようになった。

1986･12･5／680円／248頁

279

タミヤ 電動ラジコン大百科

タミヤの電動ラジコンカー発売10周年を記念して企画されたもの。メインとなっているのは、ポルシェ959、ビッグウィッグ、ファルコンなどの新作モデルだが、巻末にはタミヤRCカーの輝かしい歴史も。

1986･12･20／680円／248頁

280 任天堂
ファミリーコンピュータ9大百科

延々と続いていたファミコン大百科も、ついに打ち止めに。『悪魔城ドラキュラ』『メトロクロス』『ミシシッピー殺人事件』など、12本の新作ゲームを紹介。売れるゲームと売れないゲームの差が激しくなってきた頃。

1986・12・25／680円／248頁

281
スーパーマリオブラザーズ大百科

売れるゲームの代表『スーパーマリオブラザーズ』だけで構成された大百科。ただし攻略本は別に出していて、なぞなぞやゲームコミックなどマリオを題材にしたお遊び記事や、マリオグッズで構成している。

1986・12・30／680円／248頁

282 日本サンライズ
メカ&ヒーロー大百科

ケイブンシャとサンライズの結びつきは非常に強く、ごく一部を除いてほぼすべての作品を大百科などのムックにしている。サンライズが作ったアニメやゲームを特集した本書で、その歴史が一望できる。

1987・1・25／680円／248頁

283
ゲームブック入門大百科

当時、爆発的なブームになっていたゲームブックを大特集している。ゲームブックのカタログとして、珍しい一冊だろう。書き下ろしのオリジナルゲーム3本を掲載。ゲームブックの作り方を指南するコーナーも。

1987・1・30／680円／248頁

284 ウソ!? ホント!
な〜るほどクイズ大百科

クイズに答えて頁をめくると、その問題に関する詳しい解説が付いているのがうれしい。〈コーヒーカップには把手があるのに、日本の湯のみ茶碗にないのはなぜ?〉〈人間の顔の中で、唇だけが赤いのはなぜ?〉など。

1987・2・25／680円／246頁

285
怪奇亡霊大百科

宜保愛子先生が登場する、恐怖系第3弾。テレビの心霊番組での活躍が目立つようになった頃の本である。本書から宜保本人が表紙にも登場するようになったが、すぐ横に配置された心霊写真のインパクトが強すぎないか!?

1987・3・1／680円／248頁

288
恐怖体験3大百科

読者の恐怖体験を集めた大百科の第3弾。本書に掲載されている桑原京助の怪奇マンガ「蟬を食べた少年」は当時、多くの読者にトラウマを植えつけ、のちのちまで語り継がれる伝説となった(143頁参照)。

1987･3･25/680円/248頁

287
ミニプラモ大百科

ミニ四駆やSDキャラクターなど、小さなサイズのプラモデルを紹介。食品のおまけに付いてくるプラモの情報も。ミニ四駆やSDガンダムが爆発的な人気を呼ぶのはこの直後だが、その胎動を感じられる一冊だ。

1987･3･10/680円/248頁

286 マシンロボ
クロノスの大逆襲大百科

「トランスフォーマー」と同じような設定でバンダイが手がけた玩具先行アニメ『マシンロボ』。全キャラ=玩具を掲載し、組織図や記号解説など細かい設定も網羅。プレゼントの宛先が「夜の東側係まで」となっている。

1987･3･5/680円/248頁

291
スーパーマリオの大冒険大百科

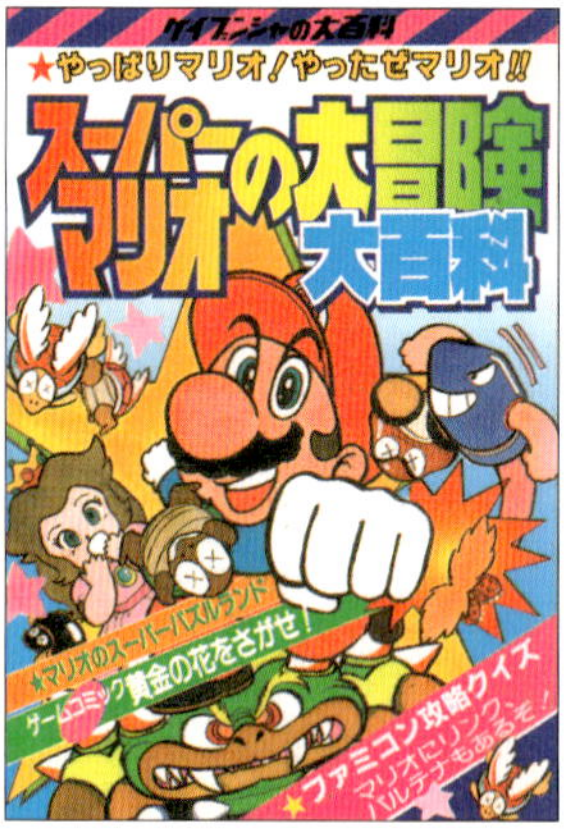

281『スーパーマリオブラザーズ大百科』同様、スーパーマリオのキャラクターを題材にしたクイズやパズル、ゲームコミックなどを掲載した大百科。ファミコン攻略クイズも収録されている。

1987･4･10/680円/248頁

290 クイズ版
ゲームブック大百科

283『ゲームブック入門大百科』のように市販のゲームブックを紹介した本ではなく、本書自体がゲームブックになっている。時代もの、宝探しもの、SFといった趣向の異なるゲームが掲載されている。

1987･4･5/680円/256頁

289
清原和博大百科

球界の番長として名を馳せ、今やマジ恐い人になった清原和博の、初々しかった頃を満喫できる一冊。西武ライオンズで新人王に輝き、2年目のこの年、キヨマーと呼ばれていた。マンガ「少年清原和博物語」も掲載。

1987･4･1/680円/232頁

294
アニメアイドル2大百科

164『アニメアイドル大百科』の売れ行きが好調だったため、企画された第2弾。最新作を中心に、116人のアニメアイドルが掲載されている。声優・矢尾一樹の1日密着取材などに、第2期声優ブームがうかがえる。

1987･5･1／680円／248頁

293
ベスト ラジコンバギー大百科

オフロードラジコンの製作と操縦テクニックを紹介した大百科の第3弾。ストライカー、ロッキー、ニンジャ、ターボオプティマ、インシデント、ブーメラン、ハイラックス・ハイリフトの7車を特集している。

1987･4･30／680円／248頁

292
どんどんつれる!! つりのひけつ大百科

釣りが上達するためのコツを重点的にまとめたもの。海、川、湖沼といった具合に、場所別のテクニックが解説されている。釣りの大百科も数多いが、全般を扱った大百科は、24『つり入門大百科』以来だ。

1987･4･25／680円／248頁

297
ビックリ!?迷宮迷路大百科

趣向を凝らした巨大迷路がいたるところで続々と誕生していたのが、この時期。ちょうどブームになっていた『風雲！たけし城』の迷路のほかに、全国の巨大迷路ガイド、世界の迷路、迷路クイズなど。

1987･5･30／680円／248頁

296
宜保愛子鑑定 心霊写真大百科

ついに表紙に宜保愛子先生のクレジットが登場!!　読者から送られてきた写真を次々と鑑定していく。しかし心霊写真ではないと判定されるものも多く、それだけに鑑定結果にも、うさん臭さがなくなった。

1987･5･25／680円／248頁

295
アーケードゲーム必勝法大百科

ゲームセンターのアーケードゲームを扱った最初の大百科。『エクセライザー』など最新作の紹介、『スペースインベーダー』からのアーケードゲームの歴史、家庭用ゲームとの比較記事が掲載されている。

1987･5･5／680円／248頁

298

忍者・忍法2大百科

忍法十番勝負の弾けっぷりに刮目せよ!!

和洋折衷の忍者大百科。表紙を飾っているのが本文で紹介したコケ丸としじみだが、モデルは二人とも素人である。

1987・6・1／680円／248頁

伊賀、甲賀、赤目といった忍者ゆかりの地で一大ロケを敢行。この頃は編集経費も潤沢だったのだ。

1980年代なかば、忍者映画がアメリカや香港でブームを起こし、赤やピンクのカラフルな装束に身を包んだ、全然忍んでいないNINJAたちが、現代のビル街を舞台に、超人的でド派手なアクションを繰り広げるB級作品が量産された。

そんなときに登場したのが本書である。忍者に関する大百科はすでに165『忍者・忍法大百科』があったから、それとは目先を変えて、海外のNINJAを大々的に扱うはずだった……のだけれども、海の向こうのNINJA映画は日本でもそこそこ話題にはなっていたものの、一般に浸透するまでには至っていなかった。

というわけで本書は、日本古来の忍者を解説しつつ、小説やマンガに登場したフィクションの忍者・忍法も紹介し、さらに海外のNINJAも扱うという、虚実が入り乱れ、和洋中がごちゃ混ぜになった、いびつな構成になっている。

そもそも日本の忍者と海外のNINJAでは、活躍（暗躍というべきか）する時代も場所もまったく別なのだから、嚙《か》み合うわけがない。アメリカのNINJAなんて、KGBの超近代兵器と戦ったりするわけで、戦法だって日本の忍者とは大違い。極端にいえば、水戸黄門とジャック・バウアーが同時に紹介されているようなものなのだ。

アメリカ発の忍者映画、その名も『ニンジャ』から。主演はショー・コスギだ。

カラー忍法絵巻として紹介されている「忍法・雪車」。猛吹雪をおこし、まわりの敵たちを凍死させてしまう恐るべき技だ。

「コケ丸&しじみの忍法十番勝負」の一部。二人の前に、ジェイソンと狼男がたてつづけに出現。ジェイソンはあっけなくやられてしまうが……。

穴埋め企画として、忍者アドベンチャーゲームも掲載されている。はたしてキミは任務を遂行できるか!?

それでも、それぞれの特徴を強引に融合させているのが、「コケ丸&しじみの忍法十番勝負」という妄想絵物語で、これが本書中、いちばん遊び心あふれる頁になっている。コケ丸&しじみというのは、巻頭で伊賀と甲賀のガイド役を務めたオリジナルの忍者キャラクターだが、ここでは世界中の怪人・怪物たちと対決して、忍者の強さを証明してみせるのだ。

「アレスの鏡」というアイテムを探すため、二人が派遣されたのは、スコットランドの古城。その捜索中、吸血鬼ドラキュラが出現するが、十字架に弱い吸血鬼は十字手裏剣によって灰と化し、その跡に「アレスの鏡」が遺《のこ》される。目的の品を都合よく手に入れた忍者コンビは古城をあとにするが、その帰途、生ける屍《しかばね》ゾンビ、殺人機械ターミネーター、半魚人、妖女セイレーン、怪獣ネッシー、超人コマンド・ランドー（こいつだけパチもんだが、ほかはよかったのか?）、狼男&ジェイソン、怪盗ルパンがなんの脈絡もなく現れ、次々と襲いかかってくる。どうやら「アレスの鏡」には、あらゆる怪物を呼び寄せる力があるらしい。それらの敵に対して、コケ丸&しじみが忍法を駆使して戦うわけだが、結果はもちろん二人の全勝。忍者を倒せるのは忍者だけなのである。

299

エアーソフトガン2大百科

256『拳銃エアーソフトガン大百科』の第2弾だが、今回は実銃やモデルガンを対象外とし、エアーソフトガンのみに絞った内容。カラー頁の出演者があまりに素人&オタク臭さ全開でなんともいえない雰囲気。

1987･6･5／680円／248頁

300

恐怖霊界大百科

毎度おなじみ、怖い話を集めた心霊恐怖系大百科だが、今回は、霊界に関する記事に重点が置かれている。グラビア頁の作りには、マンネリを突き抜けた、芸術的な適当さ(!?)が感じられる。

1987･6･20／680円／248頁

301

怪人怪獣ベスト600大百科

数が増えすぎて、すべての怪人怪獣を一冊に収めることができなくなってきたため、600体をセレクトして収録した大百科。栄光の1番『全怪獣怪人大百科』のあとを継ぐ企画なのだが、データが貧弱なのが残念だ。

1987･6･25／750円／272頁

302

JR特急大百科

国鉄が分割され、JRとして新たなスタートを切ったのが、この年の4月1日。そのJRの特急をはやくも大々的に特集したのが本書である。撮影はおなじみの鉄道カメラマン、南正時が務めている。

1987･6･30／680円／248頁

303 決定版

スーパーヒーロークイズ大百科

アニメや特撮のスーパーヒーローを題材にしたクイズやパズルが満載。最新作が中心だが、アメリカの『ナイトライダー』や『超音速攻撃ヘリ エアーウルフ』まで扱っているのが通好み。難易度は低め。

1987･7･5／680円／248頁

304

呪われた怨霊大百科

この年だけですでに5冊目となる心霊恐怖系の大百科。恐怖体験談などを収録した構成はいつもどおりだが、宜保愛子が関わっていないだけで一気に信憑性が薄れるような気がするのはなぜだろうか。

1987･7･15／680円／248頁

305 宜保愛子監修
恐怖の霊2大百科

こちらは宜保愛子先生がしっかり監修!! 10日の間隔で2冊つづけての発売となった心霊恐怖系だが、本書はとくに動物霊に関する話を中心に構成。「宜保愛子の霊界相談コーナー」がいい感じ。

1987·7·25／680円／248頁

306 戦え!超ロボット生命体
トランスフォーマー2010大百科

玩具メーカーのタカラ（現タカラトミー）から生まれた『トランスフォーマー』を扱った最初の大百科。本書はアニメ第2弾を特集、これ以降『トランスフォーマー』のほとんどのテレビ作品をケイブンシャが書籍化。

1987·7·30／750円／264頁

307
釣り具カタログ大百科

釣り道具だけで一冊作ってしまった大百科。ルアーやフライ、リールや竿などさまざまな商品をカタログ形式で紹介している。「釣り具しだいでキミも名人になれる!」というキャッチコピーがふるっている。

1987·8·5／680円／248頁

308
恐怖!怨霊のたたり体験大百科

またまた登場、心霊恐怖系の大百科。怨霊にたたられた17人の恐怖体験や、怨霊のよく出る場所などを紹介。本書には関わっていないが、宜保愛子がテレビの心霊番組で引っ張りだこになっていたのが、この時代だ。

1987·8·20／680円／248頁

309
超人機メタルダー大百科

メタルヒーローシリーズ6作目を第21話まで収録。ケイブンシャならではの逸脱が「はじめての友だち♪野うさぎ」で、第3話にチラッと登場したウサギ一匹に見開きを使っていること。内容は、野うさぎの生態、うさぎの抱き方（描き下ろしイラスト付き）で、動物本かと思ってしまう。放映リストは第24話まで記されており、情報追及の心意気は強く感じられる。

1987·8·30／650円／248頁

310 ファミコンRPG《ロールプレイングゲーム》必勝法大百科

『ドラクエ』以降、ファミコンで人気ジャンルとして定着したロールプレイングゲームを大特集した大百科。『破邪の封印』『未来神話ジャーヴァス』『インドラの光』などの攻略法を掲載している。

1987･9･1／680円／248頁

311 おもしろ文具大百科

バンダイの恐竜型キャラクター文具「ポケットザウルス」など、おもちゃ感覚で楽しめる文具をカタログ形式で紹介。学校によってはこれらの文具を持ってくることを全面的に禁止したほどの過熱ぶりだった。

1987･9･15／680円／224頁

312 マシンロボ ぶっちぎりバトルハッカーズ大百科

世にも珍しい「つっぱりロボットアニメ」。マシンロボ2作目のぶっちぎりバトルハッカーズのみを特集した本は（テレビ絵本を除けば）世界でこれ一冊しかない。EDや挿入歌の歌手・渡辺絵麻の写真は貴重だろう。

1987･9･25／700円／248頁

コラム メタルヒーロー物大百科、非情の連鎖に泣く

ヒーロー物の大百科では、発売時期の関係でストーリー紹介は中途までで終わることが多々ある。それを補い、資料性をより高めようとしたのだろう、1980年代半ば、東映が手がける特撮・戦隊物の大百科では、前作（前年）の同シリーズの最終回までのストーリーを載せるという試みがあった。

たとえば『電撃戦隊チェンジマン大百科』では、前年の『超電子バイオマン大百科』で中途だったストーリーがラストまで完全収録されているわけである。

現在とは異なり、特撮ムックは限りなく少ない時期であっただけに、こうしたサービスはファンにとっては感涙物であったのだが、どういうわけか、同じ東映のテレビ特撮ながらもメタルヒーロー物の大百科に関しては構成が異なり、前作は常に無視されていたのだ。

これは時代背景によることが大きいだろう。つまり、当時はまだ「メタルヒーローシリーズ」という名も括りも確立していなかった。

主人公が、反射光沢性のある金属系スーツを身に付けているというアバウトな共通項において「メタルヒーローシリーズ」と総称されるのは、ずっと後々のこと。それも長らくは半公式の扱いであり、一時期には「ハイテクヒーローシリーズ」と呼ばれたこともあった（シリーズ10作品の主題歌を集めた、92年発売のCDタイトルは「参上！ われらのハイテクヒーロー！」であった）。

ちなみに現在では、CS局・東映チャンネルに「メタルヒーロータイム」枠があり、2013年の映画『スーパーヒーロー大戦Z』でも、宇宙刑事ギャバン以下の同放送枠の主人公たち（世界忍者戦ジライヤ、機動刑事ジバン、特捜エクシードラフト、特捜ロボジャンパーソン、重甲ビーファイター）のことはちゃんと「メタルヒーロー」と公式に呼ばれている。

しかし、メタルヒーローの放送中には「統一のシリーズ」として宣伝されることがなかったため、80年代においては、すべてが別作品だった。結果として、戦隊物のようなシリーズではないのだからと、『宇宙刑事シャイダー大百科』に未掲載であった後半のストーリーが、次作『巨獣特捜ジャスピオン大百科』に載ることはなかった。当然、ジャスピオンの後半ストーリーもまた次作『時空戦士スピルバン大百科』で完全無視されることになる。この非情の連鎖は『超人機メタルダー大百科』『世界忍者戦ジライヤ大百科』『機動刑事ジバン大百科』『特警ウインスペクター大百科』と続いていくことになる。

313 タミヤ ミニ四駆大百科

小学館の『月刊コロコロコミック』でブームに火がついたタミヤのミニ四駆もちゃっかり大百科に。他社がヒットさせた企画でも、なんのためらいもなく尻馬に乗ってしまうところがケイブンシャのいいところ。

1987・10・1／680円／248頁

314 機甲戦記ドラグナー大百科

『ガンダムZZ』の後を受けたサンライズのロボットアニメ。第34話までを掲載。あと1クールほどで最終話だったのだが、ストーリー完全掲載よりも放映中発売を重んじるケイブンシャらしい一冊。

1987・10・5／700円／248頁

315 トランスフォーマー ザ・ヘッドマスターズ大百科

306『戦え!超ロボット生命体 トランスフォーマー2010』が好評だったのだろう、アニメ第3弾は放映開始から3か月あまりで発売してしまった。「大百科」という言葉までまったく同名の書籍が講談社からも出ている。

1987・10・30／700円／254頁

316 速光!光線銃《ビームガン》大百科

当時、流行した遊戯用の光線銃を特集。しかし各メーカーから発売されていた光線銃カタログはモノクロ頁に追いやって、「ゾンビの塔」なるフォトストーリーを堂々カラー51頁。ビームレンジャーの活躍は一見の価値あり!!?

1987・11・1／680円／246頁

319 迫り来る!!霊界・魔界大百科

霊界に関する情報や魔界伝説に関して特集した大百科。この年発行された大百科40冊中、なんと8冊が恐怖系(前年12月発行の『冬の体験大百科』を入れれば1年間で9冊)で占められる異常事態!!

1987・11・30／680円／248頁

320 モンスターRC大百科

オフロードでも豪快に疾駆する巨大なタイヤを持ったラジコンカー、いわゆるモンスターRCを特集した大百科。無骨ながらもパワフルなモンスターRCは、当時、ちょっとしたブームになっていた。

1987・12・25／680円／254頁

317 オマケ★シール大百科

資料性高し！ 空前のシール・ブームの証言本

菓子のオマケとして封入されていたシール群を網羅した一冊。入門書にもうってつけであり、未入手のシールの確認にも役立つ。
1987・11・5／680円／224頁

巻頭はやはりビックリマン、紹介点数も圧倒的に多い。

1986年、ロッテがビックリマンチョコに「悪魔VS天使」のシールをオマケにつけたところ、子どもたちに大受けして社会現象にまでなった。一人三個までの購入制限を覚えている方々も多いだろう。

本書に収録されているシールは、その「ビックリマン」を筆頭に「レスラー軍団抗争Wシール」「秘伝忍法帳」「ドキドキ学園」「超進化合体ダブルシール」「あっぱれ大将軍」「ネクロスの要塞」「魔空の迷宮」「対決 戦国時代」「こまったときのガムだのみ（おまもりシール）」「FAXANADU《ファザナドゥ》」「モンスターカード」の、計12菓子である。

いかに多くのオマケ・シールが出まわっていたか、その歴史的証言ともいえる一冊だ。

基本的にはカタログ本であり、各シールの遊び方、ストーリー、シリーズごとの総枚数、キャラクターデータ（スペック）、合体シールの完成型、と細かい部分まで網羅されている。

カラー頁では封入率が極端に低いレアシールも紹介されているが、ケイブンシャらしいピックアップとして、そこで「ネクロスの要塞」の暗黒王ネクロスが1頁全面で登場しているのだ。確かにレアではあったが、最高人気の「ビックリマン」のスーパーゼウスやブラックゼウス（ともに超レ

マンガ「がんばれ!! 集太くん」では、「おかしを捨てるな」等々、収集の鉄則を教えてくれる。

なぜだかドーンと紹介された暗黒王ネクロス。「ネクロスの要塞」というタイトルではあるが、これでは脇役が主役のエルフを完全に食っている!?

「こんなシールがあったらいいな」と、いうのだが。

「超進化合体ダブルシール」では〝合体形〟もちゃんと紹介されている。

ア物で、箱買いしても1枚あるかどうか、まったくない場合もあるほどの希少品）でさえ半頁の扱いだというのに、暗黒王ネクロスがそれらの倍の紙面というのはどういう意図だったのか。そもそもネクロスはタイトルロールではあるが主役ではないし（主役はエルフ）……。

ミニコーナー「これが究極のシールだ！」も謎である。たとえば、「女のコむきシールの決定版！着せかえシールだぞ！」とあって、その説明には「ダブルシールの上が洋服だけ描いてある透明シールになっていて（下がキャラの裸体）、取りかえっこすれば着せかえができるというわけだ」と書かれ、イラストまであったりする。

しかしこれ、究極も何も、現実にはない妄想シールの解説なのだ。まったく意味不明なのだが、とにかく色々なコーナーを作って読者を楽しませようという心意気は強く伝わってくる。

描き下ろしの「シール道マンガ／がんばれ!!集太くん」（ふくいかんじ作）は、入門的な内容だ。主役の集太くんに、仙人もどきの〝シール一刀斎〟が助言を与える展開で、「おかしを捨てるな！」と、社会問題化していたマナーを改めて教えてくれたり、「遊び方は自分で考えろ」と突き放したり、なかなかアバンギャルドだ。

318

アイドル大百科

'86年版でひと区切りをつけた4『ヤングタレント大百科』の収録対象を、アイドルに絞ってリニューアルしたもの。'88年版に相当する本書を皮切りに'91年版までつづいたが、どの年もヤングアイドル名鑑をメインに、ファンクラブやアイドルVTRの紹介などで構成されている。とはいえ、80年代前半にピークを迎えたアイドル黄金時代はすでに過ぎ去り、「アイドル冬の時代」と呼ばれたのが、ちょうどこの時期。おニャン子クラブやバラドルの台頭はあったものの、バンドブームに押されたり、音楽番組減少の影響を受けて、従来のような正統派アイドルは少なくなっていった。
ちなみに本書が発行された1987年にデビューしたアイドルは、石田ひかり、伊藤智恵理、森高千里（南沙織の「17才」をリメイクしたのは89年）、光GENJIなど。また、以前から活躍していた小川範子、小沢なつき、酒井法子、立花理佐らが歌手としてデビューしている。
表紙を飾っている岩井由紀子（ゆうゆ）はこの年、「天使のボディーガード」でソロデビュー。同じくおニャン子クラブの工藤静香も「禁断のテレパシー」でソロデビューしている。表紙メインの少年隊は「君だけに」などのヒット曲を連発、映画『19ナインティーン』も公開されるなど、絶頂期だった年である。

1987・11・25／680円／246頁

318 '91年版

アイドル大百科

前年初めに出した「Midnight Taxi」がオリコン1位になるなど、メインの中山美穂は安定した人気。左の西田ひかるは「ときめいて」がこの年ヒット、Winkは前年、カバー曲「Sexy Music」が5曲目のオリコン1位になっている。

1991・1・16／680円／222頁

318 '90年度版

アイドル大百科

1989年も「地球をさがして」の大ヒットなど、勢いが衰えなかった光GENJIが表紙のメインに。中山美穂、南野陽子、浅香唯とともにアイドル四天王と呼ばれた工藤静香は、「黄砂に吹かれて」がオリコン6週連続1位を獲得。

1990・1・16／680円／222頁

318 '89年版

アイドル大百科

1988年に活躍した201組のアイドルを紹介。表紙メインの浅香唯はカネボウ化粧品のキャンペーン・ソング「C-Girl」が大ヒット。ローラースケートが代名詞の光GENJIは、「パラダイス銀河」がレコード大賞を受賞している。

1988・11・30／680円／254頁

321 仮面ライダーBLACK大百科

『仮面ライダー』6年ぶりの新シリーズの大百科。1クール(13話)分で早々に発売したのは異例だ。扱いが小さい写真はテレビプリンターによるものらしい。コミカライズはきむらひでふみが担当している。

1987・12・30／680円／254頁

322 オマケ★シール2大百科

シール第2弾でも、「ビックリマン」の人気は衰えず。ほかに「あっぱれ大将軍」「魔正現夢」「アリバイをくずせ」「タイムスリップバトル」「ハリマ王の伝説」「戦国大魔人」など計23種を紹介している。

1988・2・1／680円／222頁

323 光戦隊マスクマン大百科

一冊でテレビ版全話と劇場版まで掲載した戦隊シリーズ大百科は、本書だけ。158頁とかなり薄くなってしまったものの、全キャラとメカ、主題歌、放映リスト、出演者プロフィールまで紹介されていて資料性は高い。

1988・2・5／580円／158頁

324 宜保愛子鑑定 心霊写真2大百科

またまた宜保愛子先生が心霊写真を鑑定。じつは、写真の送り主は子どもばかりというわけではなく、大人の女性がけっこう多かった。このあたりから222頁というのが基本の頁数になっていく。

1988・2・25／680円／222頁

325 戦国武将大百科

前年に放映されたNHKの大河ドラマ『独眼竜政宗』のヒットを受けて企画されたもの。そのため、戦国5大ヒーローとして、政宗が信長、信玄、秀吉、家康と肩を並べている。普通、そこは謙信だと思うのだが……。

1988・3・1／680円／222頁

326 霊幻道士3 キョンシーの七不思議大百科

香港映画『霊幻道士3』の日本公開に合わせて発売された大百科。ほかのキョンシー映画も紹介している。キョンシーはすで子どもたちのあいだでブームになっていたが、なぜか大百科はこれ一冊しか扱っていない。

1988・3・5／680円／222頁

327 機動戦士ガンダム 逆襲のシャア大百科

劇場版ガンダム第4弾を特集。富野由悠季監督は「こんなに長い間『ガンダム』をやるとは思ってなかった」とか「スポンサーさんに叱られちゃうんですが、50歳近くなってモビルスーツ大好きでもないですからね」と正直なお答え。

1988・3・20／680円／222頁

328 最新版 テレビヒーロー大百科

64『テレビヒーロー大百科PART3』以来の4冊目。8年ぶりのお目見えである。『仮面ライダーBLACK』やアニメの『仮面の忍者 赤影』など当時の新作を紹介。キャラクターお面や美形キャラグラフィテイなども。

1988・5・3／680円／222頁

329 ジョイフルトレイン大百科

団体旅行などで使用される、設備が充実したJRのジョイフルトレインを特集。その数は50種類にも及ぶが、いずれも個人では滅多に乗るチャンスのない列車ばかりである。撮影はもちろん南正時。

1988・5・20／680円／222頁

330 恐怖の怨霊3大百科

心霊ブームはまだまだ衰える気配を見せず、『恐怖の怨霊』シリーズもこれで3冊目となった。読者からの恐怖体験談が多数紹介されている。ほかに恐怖マンガ「ミイラになった赤ん坊の怨み」を掲載。

1988・5・12／680円／222頁

331 ミスター味っ子大百科

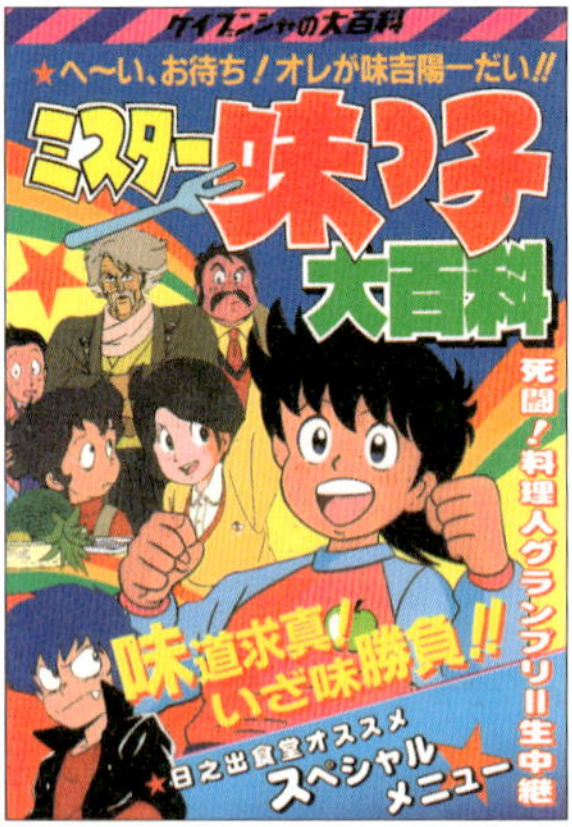

当時放映中だったテレビアニメ版の『ミスター味っ子』を特集。原作は『週刊少年マガジン』連載なのだが、なぜか講談社からはアニメ版のムックは出ていない。サンライズ製作ということで扱えたのか。

1988・5・25／680円／222頁

332 恐怖体験4大百科

『恐怖の怨霊』シリーズの第3弾が出たと思ったら、こんどは『恐怖体験』の第4弾が登場。この時期が恐怖系大百科の発売ピークである。たしかに売れまくっていたのだろうが、どの本も内容に変わりばえはしない。

1988・6・2／680円／222頁

333
オマケ★シール3大百科

なぜか「ビックリマン」がなくなり、代わりにマイナーシールが大挙登場したため資料性が高い一冊。「ドキドキ学園」「秘伝忍法帳」「なんかヨーカイどっきり道中」「オムロの謎」「謎のジパング伝説」「封印剣ザニマ」ほか。

1988･6･8／680円／222頁

334
世界忍者戦ジライヤ大百科

メタルヒーローシリーズ7作目を第23話まで紹介。例によって途中までの収録なので、世界中の忍者が狙う秘宝パコはなんだったのか謎のままだ。出演者インタビュー&サイン色紙プレゼント付き。

1988･7･2／680円／222頁

335
死霊の呪い大百科

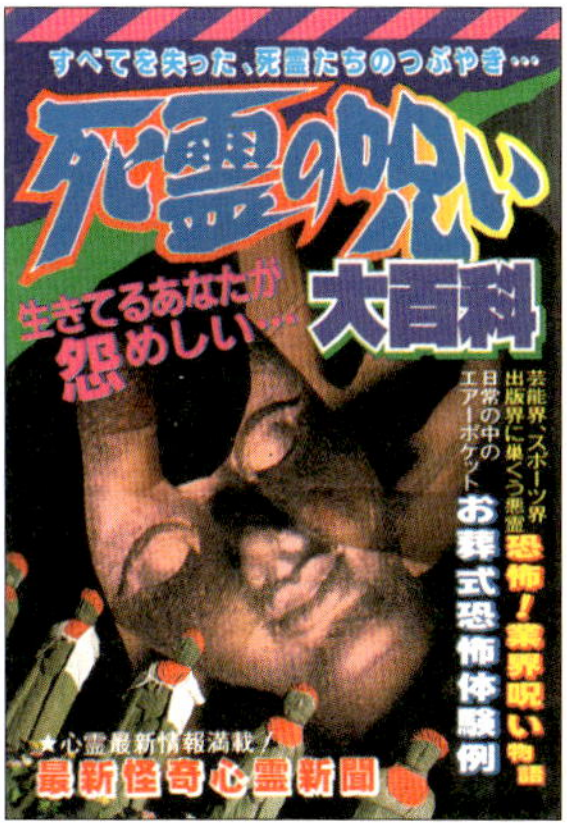

この年4冊目の恐怖系だが、従来とは違う新しい試みに挑戦しようとしている。芸能界・スポーツ界・出版界の怖い話を取り上げ、お葬式の恐怖体験や霊界ハンター列伝、心霊情報を載せた最新怪奇心霊新聞なども。

1988･7･2／680円／222頁

336
続 怪奇亡霊大百科

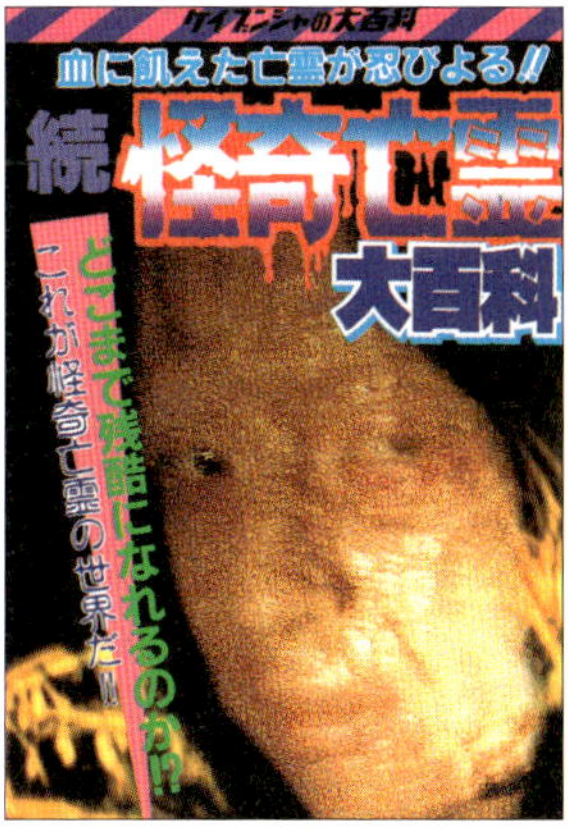

この年5冊目にして、この月2冊目。これだけ同系統の本がつづくと、さすがにネタも尽きてきたようで、正直厳しい内容。巻末には何を血迷ったか、ゲームブックを掲載して頁を埋めている。

1988･7･22／680円／222頁

337
新 JR特急大百科

302『JR特急大百科』の最新版。この年の3月13日に青函トンネルが開業し、東京と北海道を乗り換えなしで結ぶ「北斗星」の運行も始まった。食堂車も付いて「日本初の豪華寝台特急」と評されたこの列車の同乗記を掲載している。

1988･8･2／680円／256頁

338
仮面ライダーBLACK2大百科

『BLACK』を扱った第2弾で、第42話まで掲載。同一作品で2冊も出ていながら最終話までいかないのも珍しい。「決戦！シャドームーン編」と副題にあるが、42話までのためシャドームーンはほとんど戦っていない。

1988･8･6／680円／222頁

339 チューニングRC《ラジコン》大百科

ラジコンの性能を向上させるチューニングテクニックを紹介した大百科。とくに、アバンテ、ターボオプティマミッド、シャドー4WD、サンダーショットといった車種に関して詳しく解説されている。

1988・8・9／680円／222頁

340 謎の怪生物大百科

イッシー、クッシー、ヒバゴン、ツチノコなど、日本や世界に伝わる怪生物を一堂に集めて紹介。早稲田大学探検部が挑んだコンゴ・ドラゴンの探索記は秀逸で、後に高野秀行の著書『幻獣ムベンベを追え』に結実。

1988・9・9／680円／222頁

341 超獣戦隊ライブマン大百科

戦隊シリーズ10周年記念作品となった『ライブマン』は嶋大輔、西村和彦、森恵らの豪華キャスト。本書のインタビューでも出演者それぞれの人の良さが垣間見えて楽しい(嶋大輔が痩せている!)。第29話まで紹介。

1988・9・14／680円／238頁

342 宜保愛子鑑定 心霊写真3大百科

読者から送られてきた写真を宜保愛子が鑑定していくシリーズ第3弾。「どうして猫に見えるのか理解に苦しみます」とか「私には何の霊気も感じられません」とか「ちょっと考え過ぎのようです」といった宜保愛子の回答が最高!!

1988・9・26／680円／222頁

343 ベスト!! オマケ★シール大百科

シール第4弾。「ベスト」とうたっただけあって、珍しくポスターが3枚も封入。「ビックリマン」が復活し、「ドキドキ学園」「ハリマ王の伝説」「レスラー軍団抗争Wシール」「秘伝忍法帳」「ネクロスの要塞」ほか。

1988・10・8／680円／222頁

344 '89年版 怪人怪獣ベスト600大百科

怪人怪獣をセレクトした、301『怪人怪獣ベスト600大百科』の最新版。年度が入っているところを見ると、毎年更新する予定だったのかもしれないが、結局、この形式の怪人怪獣大百科はこれが最後となった。

1988・10・8／680円／254頁

345

読売クラブ サッカー大百科

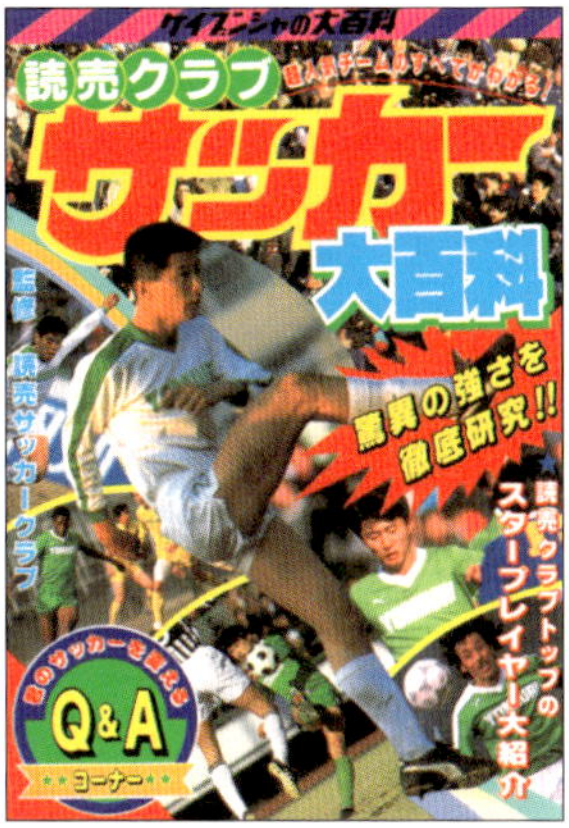

日本のサッカークラブチームの草分けで、東京ヴェルディの前身、読売サッカークラブを特集。当時は武田、ラモス、加藤久、戸塚、堀池などの名選手がそろっていた黄金時代。Jリーグ開幕まであと5年の頃。

1988･11･10／680円／222頁

346

全私鉄大百科

南正時による『私鉄大百科』の最新版。当時、国内に存在した133社の私鉄をすべて紹介している。各私鉄のロマンスカー特集のほか、この年デビューした、名鉄の展望席付き電車「パノラマスーパー」同乗記も掲載。

1988･12･2／680円／222頁

347

全トランスフォーマー大百科

「全」といっても玩具ではなくアニメ版を特集。元祖の『戦え!超ロボット生命体トランスフォーマー』『トランスフォーマー2010』『ザ☆ヘッドマスターズ』『超神マスターフォース(当時放映中)』の4作品を紹介。

1988･12･15／680円／222頁

348

SDガンダム大百科

ガンダムシリーズのメカや人物を2、3等身でデフォルメしたSDガンダムを扱う第1弾。これ以降、SDガンダム関連の大百科が多くなる。ガシャポン戦士、ガンダムクロス、BB戦士のカタログの他に、塗装テクニックなども。

1988･12･27／680円／222頁

349

スーパーマリオブラザーズ1,2,3大百科

ファミコンソフト『スーパーマリオブラザーズ3』の発売に合わせて、シリーズ3作品をすべておさらいしようという大百科。それぞれの裏ワザが公開されている。そのほか、ゲーマーになるための記事も掲載。

1988･12･27／680円／222頁

350

仮面ライダーBLACK RX大百科

好評のうちに終了した『BLACK』の後番組『RX』を扱う。必殺技をキック主体から剣や銃などの武器に変えたり、ライダーが車に乗ったりといろいろ模索した番組だ。11話までしか収録していないのは残念の一言。

1988･12･27／680円／222頁

原色怪獣怪人大百科

箱の中に入った折り込み写真。すべてはここに始まる！

箱の中には、このように折りたたまれた怪獣怪人のカタログが25枚入っている。

すべての大百科の原点。箱には「370ぴきがせいぞろい！」という言葉が踊っている。のちの『全怪獣怪人大百科』よりはるかに少ない収録数だが、当時としては、画期的だったのだ。

1971年／500円／折り込みグラフ25枚＋小冊子16頁

ケイブンシャの大百科を語るとき、忘れるわけにはいかないのが、そのルーツとなった、1971年発行の『原色怪獣怪人大百科』である。

といっても、これは本ではない。大百科と同じサイズの箱を開けると、A3サイズの紙が25枚折りたたまれて入っており、そのうち24枚の両面に、特撮映画やドラマに登場した370体の怪獣怪人のカラー写真（一部モノクロだったり、イラストだったりする）とスペック、解説が印刷されているというものだった。

残る1枚の紙には、「人気怪獣怪人出身地図」、宇宙猿人ゴリとショッカーの秘密基地図解、ウルトラシリーズのメカが掲載され、ほかに索引として16頁の小冊子も付いていた。

この大百科の編集と執筆に携わったのは、現在ノンフィクション作家として知られる佐野眞一と、特撮および香山滋《かやましげる》の研究家として活躍し、2011年死去した竹内博。なぜ、本ではなく折り込みグラフ形式にしたのか、どんな経緯で製作されたのか、そのあたりの事情については、129頁からの佐野氏のインタビューに譲るが、当時、これほどの数の怪獣怪人を一堂に集めて紹介したものは他にはなかった。怪獣図鑑の類は他社からも発行されていたが、それらはイラストが中心で、カラー写真

A3サイズの表と裏にそれぞれ8体の怪獣怪人が登場（一部大きく扱うものも）。左のように、『ウルトラマン』から『ジャイアントロボ』までごちゃ混ぜなのが快挙。「人気怪獣怪人出身地図」などの大判図解も付いている。

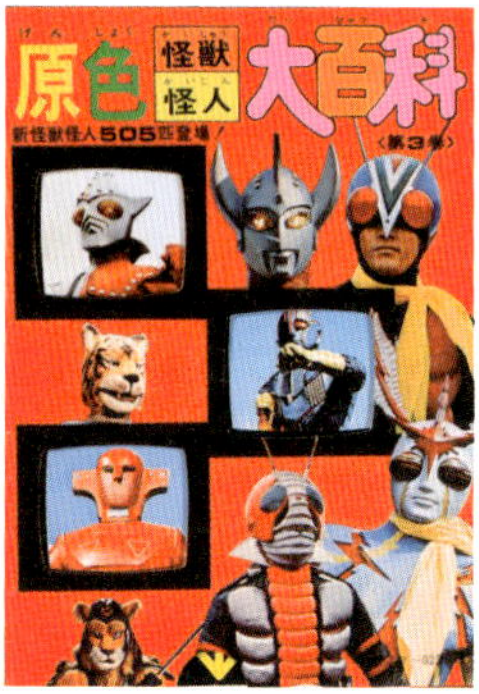

テレビ画面を模した3つの窓が開けられていて、下の紙をスライドさせると窓の中の画像が変わるという、凝った造りの箱になっている。アニメ作品は割愛され、索引は小冊子形式から一枚紙になった。
1973・12・10／500円／折り込みグラフ25枚

続巻では特撮作品だけでなく、アニメ作品も対象としている。じつはこの第2巻、箱のデザインが複数存在するという、コレクター泣かせの一品。ちなみにこれは第3版で、箱裏も同一のデザインである。
1972年／500円／折り込みグラフ25枚＋小冊子16頁

をメインにした構成も、他に類を見ないものだったのだ。

それだけに、この大百科は大ヒットを記録し、翌72年には『続・原色怪獣怪人大百科　第2巻』、73年には『原色怪獣怪人大百科　第3巻』が発売されている。いずれも第1巻と同じく折り込みグラフ形式だが、第2巻には440体、第3巻には505体の新怪獣怪人を収録。当時は、特撮ヒーローテレビ番組があふれかえっていた第二次怪獣ブームのまっただ中で、1年間に数百体の怪獣怪人が量産されていた時期でもあったのだ。

しかし、首を傾げざるを得ないのが、第2巻に付録として収められたジャイアントパンダのポスターだ。体長・体重・出身地など、他の怪獣怪人と同様の書式でスペックが記載されているのは微笑ましいが、空想キャラの中に、ポツンとひとつだけ実在の動物が混じっているのは、どう見ても異質。どんな意図があって、このポスターを付けたのか、まったくわからない。

それはともかく、この全3巻がのちの『全怪獣怪人大百科』の原型となったのは、まぎれもない事実。これらで培われたノウハウと実績、蓄積された素材とデータは、のちの大百科シリーズでも綿々と受け継がれていくことになる。

怪獣怪人大全集1 ゴジラ

ケイブンシャが放った箱入りシリーズの新展開!!

箱の中には、この3冊が入っている。1冊目の表紙は箱と同じ。2は『怪獣総進撃』、3は『ゴジラ対ヘドラ』のカラースチールである。

本文で触れたように、キングギドラの首が本の綴じ目にかかってしまっているのが残念だ。

箱の写真は『地球攻撃命令 ゴジラ対ガイガン』のカラースチール。発売当時の最新作だったのだ。

1972･4･20／500円／128頁×3冊

『原色怪獣怪人大百科』につづいてケイブンシャが刊行した、文庫本サイズ怪獣関連書の新シリーズが『怪獣怪人大全集』である。

箱入りという点は『原色怪獣怪人大百科』と同じだが、中に入っているのは、折り込みグラフではなく、製本された3冊のグラフブックだ。当時の最新作だった『ゴジラ対ガイガン』を1冊目の巻頭に置き、以下、第1作から『ゴジラ対ヘドラ』まで、ゴジラシリーズの名場面を多数のスチール写真で紹介している。怪獣図鑑というよりも怪獣写真集といった趣で、文章量は少ないが、各冊の巻末に、「特撮映画の種あかし」とか「ゴジラ古戦場地図」「ゴジラ解剖図」「ゴジラのエピソード」といった豆情報が付いているのが楽しい。

ただし、残念なのは、肝心の怪獣の顔が本のノド（綴じ目部分）にかかって、見づらくなっている頁が多々あること。たとえばキングギドラの写真などは中央の首がノドにかかっていて、二首竜にしか見えない。写真の位置をほんのちょっとずらせば解決する問題なのに……。

考えてみれば、このタイプの本はケイブンシャにとってもおそらく初めてだったわけで、誌面レイアウトのノウハウが確立されていなかったのかもしれない。

怪獣怪人大全集2 ガメラ 大魔神

箱入り3分冊、オールカラーでさらに豪華に!!

箱の写真は『ガメラ対深海怪獣ジグラ』と大魔神。ちなみに大映は、この本が出た前年1971年に倒産している。

1972・6・30／500円／128頁×3冊

箱の中身は、この3冊。1の表紙は『ガメラ対深海怪獣ジグラ』だが、箱とは異なるスチールを使っている。2は『ガメラ対大悪獣ギロン』。

ガメラの解剖図。続けて、ガメラと戦ったバルゴンやギャオスなどの解剖図も付いている。

箱入り3分冊というスタイルは前巻を踏襲しているが、オールカラーになったので、かなり豪華に見える。レイアウトも写真に大小メリハリをつけるなど、前巻より工夫が凝らされており、編集スキルの向上が如実にうかがえる。

3分冊のうち、2冊がガメラシリーズにあてられ、3冊目が大魔神という構成。前巻では怪獣の解剖図はゴジラだけだったが、こちらは全怪獣の解剖図が付いていて、遊び心もアップしている。

3冊目には、その他の大映怪獣映画も紹介されているのだが、『宇宙人東京に現わる』『透明人間と蝿男《はえおとこ》』『妖怪百物語』『妖怪大戦争』に加えて、未公開に終わった『大群獣ネズラ』まで載っているあたり、なかなかマニアックである。

これは、本物の生きたネズミを大量に集めて撮影したため、近隣住民から苦情が殺到し、お蔵入りとなったいわくつきの作品。挙句の果てに、ネズミたちを夢の島へ運び、オリごと石油をかけて焼き殺したなんていう、とんでもないエピソードも掲載されている。炎に包まれたネズミの大騒動は特撮以上にすごかったらしいが、この本を読んでその光景を想像した子どもたちは、ギロンによる宇宙ギャオス輪切りシーン以上のトラウマを植えつけられたのではなかろうか。

怪獣怪人大全集4
ウルトラマン大百科

B6サイズの箱に、『ウルトラQ』から『ウルトラマンタロウ』までウルトラシリーズに登場したヒーロー、怪獣を掲載した折り込みカラーグラフを収録。それらとはべつに、怪獣たちのスペックをまとめた小冊子が付いている。

1973·5·30(第2版)/600円/B3グラフ18枚+B2ポスター+小冊子32頁
※初版の発行年月日記載なし

怪獣怪人大全集3
仮面ライダー 超人バロム・1

『ゴジラ』『ガメラ 大魔神』につづく『怪獣怪人大全集』の第3弾。名場面集と写真ストーリーが中心だが、全話のスチールが掲載されているわけではなく、数エピソードからの抜粋なので、ちょっと物足りない。

1972·9·20/500円/128頁×2冊+A3グラフ8枚

テレビ・ヒーロー大全集1

B6サイズの箱に、『仮面ライダーV3』『愛の戦士レインボーマン』『風雲ライオン丸』『流星人間ゾーン』『人造人間キカイダー』に登場したヒーロー、怪獣怪人たちの折り込みグラフを収録。

1973·6·10/600円/B3グラフ20枚+B2ポスター

テレビ・ヒーロー大全集2

B6サイズの箱に、『マジンガーZ』『スーパーロボット レッドバロン』『ジャンボーグA』『科学忍者隊ガッチャマン』に登場したヒーロー、怪獣、メカなどを紹介した折り込みグラフや絵本を収録している。

1973·9·10/600円/B3グラフ14枚+絵本2冊+B全ポスター

『怪獣怪人大全集』は第3巻として『仮面ライダー超人バロム・1』も刊行されている。これは、2冊のグラフブックに、8枚のA3サイズ折り込みグラフを組み合わせた変則的な構成。「ショッカー秘密基地」の内部図解も付いているが、『原色怪獣怪人大百科』に掲載されていた同基地図解とは構造がまるっきり違っているあたり、どっちが正しいんだ、とツッコミを入れたくなる。

その後、ケイブンシャは、ひとまわり大きいB6サイズの箱にB3サイズ折り込みグラフを詰め込んだ『怪獣怪人大全集4 ウルトラマン大百科』(24頁参照)や『テレビ・ヒーロー大全集』全2巻を発行。さらに「テレビ人気者シリーズ」として『ジャンボマックス大百科』と『ドリフターズ遊び大百科』を出したあと、1975年からいよいよ一冊に製本された大百科の刊行を開始する。これらが「ケイブンシャの大百科シリーズ」と銘打たれるようになるのは76年頃からだ。

ナンバリングされるようになったのは78年からだが、それまでのナンバーレス時代にも、ヒーロー、スポーツ、乗り物系を中心に、30冊以上の大百科が発行されている。その中には、のちにナンバリングされてまったく同じ内容で再刊されたものも少なくない。

大百科列伝①

佐野眞一

◉作家

大百科の生みの親は、なんとノンフィクション作家の佐野眞一氏。『原色怪獣怪人』を作るきっかけは一体何だったのかを聞いてみた!!

――本書のテーマであるケイブンシャの大百科シリーズですが、そもそもこのシリーズの先駆けとなる『原色怪獣怪人大百科』を企画・編集されたのが、当時、勁文社の編集者だった佐野さんだったそうですね。

佐野　はい。僕が勁文社に入社したのは昭和44年の4月なんですが、当時、勁文社は出版社と名乗ってはいても本はほとんど出してなくてね、主にカーステレオ用のミュージックテープを作っていたんです。ちょうどモータリゼーションの時代が始まろうとしていた頃ですから、まだコンパクトカセットの時代も来てなくて、小型の弁当箱みたいな8トラックのミュージックテープの頃ですよ。僕もその音楽ディレクターを命じられて、楽譜も読めないのに毎日、録音スタジオへ通う日々を送っていました。

そのうちにだんだんとストレスがたまってきましてね、ある日、社長に直訴したんです。僕は出版がやりたくて勁文社に入ったのに話が違う、本を出させてくれと。そうしたら社長は意外にもあっさりOKを出してくれたんですが、ひとつ条件があるというんです。その条件とは、絶対に売れる本を作れと!

――もっとも厳しい条件ですね（笑）。

佐野　そうなんです。だけど何としても本の編集をやりたかったですから、ネタはないかと世間を見回してみたら、ちょうど子どもたちの間で怪獣ブームが巻き起こっていて『ウルトラマン』や『仮面ライダー』の図鑑が飛ぶように売れていたんです。そこでひらめいたのが、ひとつの番組の怪獣だけでなく、テレビや映画に出てきたありとあらゆる怪獣・怪人を集めた百科事典を作ったら絶対に売れるだろうということでした。

――いきなり核心に迫りましたね!

佐野　いえいえ、これは当時なら誰でもすぐに思いつくことで、問題はそうした本がなぜ他社で先に出ていなかったのかということです。その理由は動きは

権利関係が複雑で一冊の本にはできない。ならば大きな紙に怪獣の写真を並べて、折りたたんで小さな箱に入れたらどうだろう。これなら本じゃないでしょう、と。

じめてすぐにわかりました。怪獣番組を作っている会社は1社ではありませんから、権利関係が複雑にからみ合っていて、一冊の本の中に複数の番組のキャラクターを一緒には収録できないというんです。

　これがもう悔しくてね。他社で出せないなら、うちが出せば絶対売れるという確信がますます強まりましたから、何とか突破してやろうと。それで思いついたのが、ポスターのような紙に怪獣の写真と解説文を並べたものを何枚も作って、それを折りたたんで小さな箱に入れたらどうだろうと。これなら本じゃないから問題ないでしょうというわけです。

——かなりこじつけですが。

佐野　自分でも苦しい言い訳だとは思いましたが、何とこれで通っちゃったんですね。

——そしていよいよ製作に入るわけですね。ここで強力な助っ人が加わったそうですね。

佐野　はい。竹内博くんという怪獣マニアの少年が協力してくれることになったんです。後に特撮研究家として名を馳《は》せるあの竹内くんですよ。しかしこの頃彼はまだ17歳くらいの少年で、とにかく怪獣が大好きで円谷プロの怪獣倉庫に寝泊まりしているという何とも変わった男でした。

——竹内氏とはどこで知り合ったんですか？

佐野　よく覚えていないんですが、権利関係の相談で円谷プロに出入りしていたときに紹介してもらったんだと思います。それで企画が通ったから協力してくれないかと誘ったら、ぜひやらせてくださいと、ふたつ返事でOKしてもらいました。

　編集は新宿の大久保通りの裏手にあった連れ込み旅館の一室を借りて、竹内くんと二人でそこにこもってやりました。勁文社の編集部は当時、大久保通りに面した雑居ビルの中にあって、打ち合わせスペースもないほど狭かったですから。

——作業には1か月くらいかけたんですか？

佐野　いえいえ。1週間の突貫工事ですよ。竹内くんとぼくで分担して「バルタン星人の得意技は空手チョップ」なんていう文章を書いたり、怪獣の足型を描いたりしていったんです。だけど周りの部屋からは始終艶《つや》っぽい声が聞こえてくるでしょう。シラフじゃやってられなくて酒をひっかけながら書きなぐっていました。

　ところが竹内くんは真剣でね、ついに「佐野さん、もっと真面目にやってください！」と叱られてしまったんです。彼は「佐野さんの描いた怪獣の足型には重みが感じられない」というんですね。それを聞いて僕はハッとしました。竹内くんのいう通り、子どもたちは小銭を握りしめてこれを買いに来るんだ。もっと真面目に作らなければいけないと。それで以後は

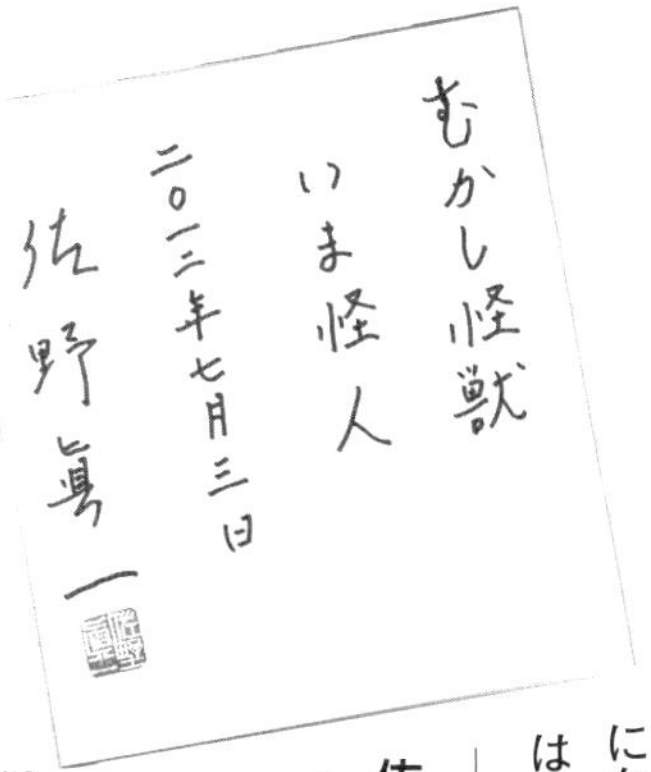

佐野眞一（さの・しんいち）●1947年、東京生まれ。著書に『旅する巨人』（第28回大宅賞受賞）『東電OL殺人事件』『あんぽん――孫正義伝』他。

僕も酒を飲むのはやめて仕事に打ちこみました。

――そうしてついに『原色怪獣怪人大百科』が世に出るわけですが、反響はいかがでしたか。

佐野　最初からものすごい売れ行きでしたよ。わずか半年で120万部を突破しましたからね。編集部のポストが『原色怪獣～』の愛読者ハガキの束で閉まらなくなりまして。朝一番にそれを取り出しても、日に何度も配達の人が来るから、午後にはまた一杯になってあふれているという感じでした。これは本当にうれしかったですね。

――会社から特別ボーナスは出ましたか？

佐野　2万円くらいはもらったかもしれません（笑）。竹内くんの報酬もほんとに微々たるものでしたから。ちなみにこれは僕が担当した本ではありませんが、竹内くんは『原色怪獣～』の後、勁文社で『怪獣怪人大全集』の『ゴジラ』と『ガメラ大魔神』という本の執筆にも参加しているのですが、『ゴジラ』のときは、彼は原稿料はいらないからカメラを買ってほしいといって、フジカの一眼レフカメラを買ってもらったそうです。

一方で会社はこの利益で翌年、新入社員を10人ほど雇いましてね。その中のひとりが今の僕の奥さんです。

――奥さまも元勁文社の社員だったんですね。しかし佐野さんはまもなく勁文社を退社されてしまうんですよね。その理由は何だったんでしょう。

佐野　僕は『原色怪獣～』を当てたから、当然次は大人の本をやらせてもらえるだろうと思っていたら、なかなかやらせてくれなくてね。それに失望したというのがいちばん大きかったですね。あとは会社の待遇があまりにひどかったから新入社員たちの間で組合を作ろうという話が持ち上がったんです。全共闘運動がもっとも激しかった時代ですから。それでいちばん年長の僕が組合の委員長をやることになって、社長と直談判する立場になったんですが、交渉は当然のごとく決裂しましてね。その責任を取って僕は退社することになったんです。

――今振り返ってみて『原色怪獣怪人大百科』は佐野さんにとってどんな存在ですか？

佐野　僕の仕事の原点ですね。読者の心に届く本を作るという気持ちを教えてくれたのはこの仕事ですし、本がヒットするという手応えを味わわせてくれたのもこの本でした。そして何より、僕は後にソフトバンクの孫社長とか、ダイエーの中内会長など、さまざまな怪人を取材することになるわけですが、その原点となったのが、無数の怪獣・怪人を扱ったこの本だったんですよ。

大百科伝説①

大百科、といえばアバウトが代名詞。間違いもじつに多かった!!

代々継承されていくのが常だった「大百科」の情報。一度ミスが生まれると際限なく続くことも。野暮は承知でチェック入れさせていただきます!

小さなサイズに膨大な量の情報が詰まっているケイブンシャの大百科だが、間違いも多かった。

たとえば初期の『全怪獣怪人大百科』では、『ウルトラQ』の「五郎とゴロー」に登場した巨大猿ゴローと、「甘い蜜《みつ》の恐怖」に登場した地底怪獣モングラーの巨大化の原因がそれぞれ「ヘリプトロンG」と「ラゼリーB1」という特殊栄養剤によるものと記されているが、劇中では、そんな呼称は一度も登場せず、それぞれ「青葉くるみ」、「ハニーゼリオン」と呼ばれている。なのに、なぜこんな間違いが生じたかというと、台本をもとに原稿が書かれたからに違いない。じつはこの二作品に登場する栄養剤は台本では「ヘリプロン結晶G」、「ラゼリーB1」となっていた。ところが、番組スポンサーが武田薬品になったことから、怪獣出現の原因が薬品風の名前をしていてはイメージ的によくないということになり、放映直前に名称変更されて撮り直しされたという経緯があるのだ。「ヘリプトロンG」という表記は「ヘリプロン結晶G」の写し間違いだろう。

もちろん、実際に作品を見て確認していれば、こんな間違いをおかすはずはないのだが、当時はDVDどころか家庭用ビデオデッキすら普及しておらず、昔の作品を鑑賞するためには、再放送されるのを待たなければならなかった。いつでも作品を見られるような環境ではなかったため、台本や設定資料などの文献だけを頼りに原稿を書くことも少なくなかったのだ。この件に関しては、他社の類書でも同じ誤記がしばしば見受けられるし、後期の『全怪獣怪人大百科』ではちゃんと修正されているから、ケイブンシャばかりを責めるのは酷といえるかもしれない。

174『怪獣もの知り大百科』の「ガメラ東京襲撃マップ」ではホテル・ニューオータニや江戸橋インターチェンジが挙がっているが、実際には襲っていない。

「仮面ライダー歴戦年表」がナンバー1

台本を参照したために生じたと思われる間違いは、29『仮面ライダー大百科』や174『怪獣もの知り大百科』にも見られる。『仮面ライダー大百科』のカラー頁では「『仮面ライダーX』の中でV3が28・34話、2号も34話に登場」とあるが、実際にはともに33話にも登場しているし、本文にある「仮面ライダー」第41話の項でライダーが倒した「再生した4人の怪人」は2人の間違い、「耐熱怪人ゴースターも海に突き落とされて自爆」とあるのは岩場で爆発、の間違いだ。

『怪獣もの知り大百科』ではガメラの襲撃場所としてホテル・ニューオータニや江戸橋インターチェンジが挙げられているのだが、ガメラがこれらの建築物を襲ったことは一度もないし、掲載されている写真は数寄屋橋《すきやばし》阪急の入っていた東芝ビルとその横を通っている東京高速道路のミニチュアセットだ。台本に回転ラウンジのあるホテルや日本橋付近の高速道路をガメラが襲うシーンがあったため、それをもとに記事を構成したのだろう。ただしこの場合は、スチール写真のビルがニューオータニでないことは一目瞭然なので、きちんと確認をとってほしかったところだ。

一冊における間違いの多さに関しては、ナンバーレス時代の『怪獣怪人大全集3 仮面ライダー 超人バロム・1』が横綱級といえるだろう。この本に付いている「仮面ライダー歴戦年表」は、第72話までのエピソードタイトルと登場怪人、放映日、ライダーの決め手技が一覧できる便利な資料なのだが、びっくりするほどタイトルの誤記が多いのだ。ざっと挙げてみると、正式タイトルの「吸血怪人ゲバコンドル」が「怪鳥ゲバコンドル」、「殺人ヤモゲラス」が「殺人ヤモラー」、「トカゲロンと怪人大軍団」が「11人の怪人」、「死斗！ありくい魔人アリガバリ」が「魔境のアリ喰い怪人」、「生きかえったミイラ怪人エジプタス」が「火焔《かえん》怪人エジプタス」（しかも「毒ガス怪人トリカブトのG作戦」と放映日が逆になっている）……といった具合。初期台本のタイトルをそのまま引き写したのが間違いのもとと思われるが、放映直後に出た本なので、番組を熱心に観ていた読者なら、即座に誤りに気づいたはず。子ども心にケイブンシャに対する信頼を失くした者も多かったのではないだろうか。

悪か？ 善か？ 二転三転したパイラ人

なかには、本来の設定とは真逆の設定を与えられてしまった悲劇のキャラクターもいる。1956年公開の大映映画『宇宙人東京に現わる』に登場した宇宙人パイラ人だ。日本の特撮作品に登場した最

『原色怪獣怪人大百科』で紹介された、パイラ星人。人類の滅亡をくわだてる、と書かれてしまったが、じつは友好的な宇宙人なのだ。

初の宇宙人で、ヒトデ型という奇抜な姿は芸術家の岡本太郎がデザインしたものである。

そのパイラ人がケイブンシャの発行物で初めて紹介されたのが71年発行の『原色怪獣怪人大百科』だが、ここでは、次のように記されている。

「地球侵略のため巨大なUFO未確認飛行物体で飛行した。身体の中心部におおきな眼があり、特別なテレパシーを放射する。地球人をそのテレパシーで自由にあやつり、地球を大爆発させ、人類の滅亡をくわだてている」

映画を観たことのある人なら仰天するに違いない。なにしろ、劇中におけるパイラ人は、その姿が地球人を驚かせることはあるものの、そんなおそろしい計画など露ほども考えていないし、テレパシーで人間をあやつるシーンなど一度もない。それどころか彼らは平和と秩序を愛する宇宙人で、地球が新天体と衝突する危機を迎えていることを知らせに来た友好的な存在なのである。また、体長5メートルと記載されているが、映画を見るかぎり、人間より少し大きいくらいだ。

どうやら編者（佐野眞一と竹内博）は大伴昌司監修の『世界怪物怪獣大全集』（キネマ旬報社／67年）に掲載されていた「地球侵略に飛来」「テレパシーで地球人を自由にあやつる」といった記述を参考にして、この説明文を書いたものと思われる。当時はこの本くらいしか、パイラ人が掲載されている怪獣図鑑がなかったのだ。地球を大爆発云々の件は、同書には記されていないが、これは、公開当時の映画ポスターに踊っていた「地球は大爆発」「全人類が滅亡」といった謳《うた》い文句から、それをパイラ人の仕業と誤解してしまったためだと思われる。

ただし、編者はこのあとで誤りに気づいたようで、72年発行の『怪獣怪人大全集2 ガメラ 大魔神』では、『宇宙人東京に現わる』の正しいストーリーを紹介し、パイラ人に関しても「インベーダーではなく、良い宇宙人である」と訂正している。身長こそ5メートルのままだったが、とりあえずパイラ人の名誉は挽回《ばんかい》されたわけである。

しかし、これで問題が解決したと思ったら、そうは問屋がおろさなかった。その2年後に発行された『全怪獣怪人大百科〈保存版〉』のパイラ人の項を見ると、「身体の中心部に大きな目があり、特別なテレパシーを放射する。それで地球人を自由にあやつれる」と、またしても、嘘八百の解説が記されているではないか。おまけにタイトルまで『宇宙人東京にあらわれる』と誤記されている。

これを機に、その後の『全怪獣怪人大百科』でも同様の説明文が掲載され、53年度版に至っては、

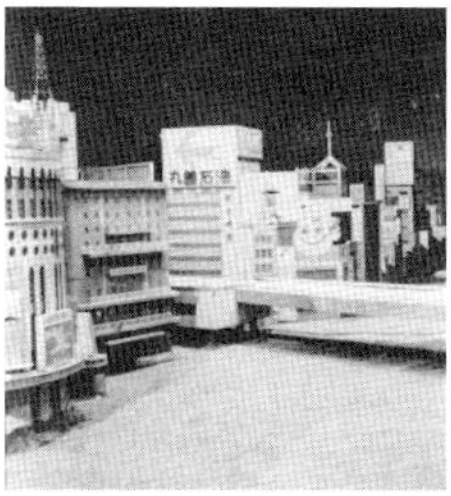

122『世界の怪獣大百科』の「怪獣もの知り番外編」で『宇宙人東京に現わる』のミニチュアセットと紹介されているが、これは別の映画で使われたものだ。

なんと、「人類滅亡を企んだ」とまで記されるようになってしまった。パイラ人はふたたび極悪宇宙人に逆戻りさせられてしまったのだ。これらの本はべつの編者が作ったものだが、きっと、『原色怪獣怪人大百科』第1巻を見て、想像をふくらませて書いたに違いない。

　その後の『全怪獣怪人大百科』では映画キャラクターが対象外となったため、パイラ人に関する記載はなくなったが、彼らの汚名がそそがれるのは、82年の122番『世界の怪獣大百科』まで待たなければならなかった。この本では、「善意のヒトデ型宇宙人」というふうに記述され、身長も2メートルに改められている。ここに至ってようやく、正しい形でパイラ人が紹介されたわけである。

　ただし、『世界の怪獣大百科』にしても、間違いがないわけではない。この本では『宇宙人東京に現わる』のセットとして数寄屋橋付近のミニチュアセットの写真が紹介されているが、これはじつは63年公開の映画『風速七十五米』の撮影で使われたものだ。『宇宙人東京に現わる』には、こんなセットは出てこない。同じ大映作品ということで混乱してしまったのだろうか。また同書では、恐竜アンキロサウルスがアルマジロの祖先だなんていう、とんでもない解説もされていた。

　最後に、大百科らしい〝豪快な〟間違いを紹介しよう。74頁でも簡単に触れたように、159『科学戦隊ダイナマン スーパー戦隊大百科』の中で、『忍者キャプター』を戦隊シリーズの一つに位置づけたのだ。『キャプター』は戦隊シリーズを手がける東映の制作という点では同じだが、放送局もテレビ朝日系列ではなく当時の東京12チャンネルだった。しかもこの勘違い、翌年発行の187『超電子バイオマン大百科』にもしっかり継承され、「歴代スーパー戦隊せいぞろい!」の中に堂々と入ったのであった。

187『超電子バイオマン大百科』のカラー頁で紹介されている『忍者キャプター』。「歴代スーパー戦隊」として挙げられた『秘密戦隊ゴレンジャー』から『ダイナマン』にいたる8大戦隊の、何と2番目に。当時は戦隊シリーズのカテゴライズが曖昧だったこと、出版前の色校正を東映が確認しチェックを受けるというシステムがあまり確立していなかったからだろう。

大百科列伝②

金春智子◉脚本家

資料性の高さから今も評価の高い76番『全アニメ大百科』。それもむべなるかな、アニメ脚本家として名高い金春智子氏が関わっていたのだ!!

——こんにちは。金春さんといえば現在はアニメの脚本家として活躍中ですが、金春さんもかつてケイブンシャの大百科でお仕事をされていたんですよね。

金春　はい。当時、勁文社から『全アニメ大百科』という本が年度版で毎年刊行されていまして、その本で仲間と一緒に原稿を書かせていただいていました。

　だけどもう30年以上前のことですから、だいぶ記憶が曖昧になっていましてね。なにしろ本当に昔のことですから（笑）。それで今回、当時の手帳を引っぱり出してきて調べたら、１９８１年に出た最初の『全アニメ大百科』から『'84年版　全アニメ大百科』までの4冊をやらせていただいていたようですね。

——同じアニメの仕事でも、作品紹介記事とシナリオではまったく勝手が違うと思いますが、どういうきっかけでこの大百科のお仕事をされたんですか?

金春　私がアニメの脚本家としてデビューしたのは脚本家の辻真先《つじまさき》先生が教室長をされていた劇画マンガ教室へ通ったことがきっかけだったんですが、その辻先生のご紹介で、大百科の仕事をする前から、出版の仕事も少しですがやっていたんです。たとえば文藝春秋社から出たアニメのムック本のときは、編集バイトとして2か月間編集部に通いました。

　また徳間書店の雑誌『アニメージュ』の創刊が78年5月でしたが、この雑誌が創刊される少し前に編集部から「アニメファンの声を聞きたい」という話があって、私にも声がかかりまして、このときは数人で徳間書店へ行って編集の方とお話をしてきました。

　こうして振り返ってみると、この頃の私には、アニメファンであればこその仕事や出来事がたくさんあったんですね。

『全アニメ大百科』のお仕事も、その流れでいただいたんだと思います。私の手帳には80年の夏に初めて勁文社の名前が出てきています。

アニメのシナリオを書きながら、『全アニメ大百科』の原稿も書いてました

金春智子（こんぱる・ともこ）●1956年、奈良生まれ。映画版の『うる星やつら』や『それいけ！アンパンマン』などのアニメ脚本で知られる。

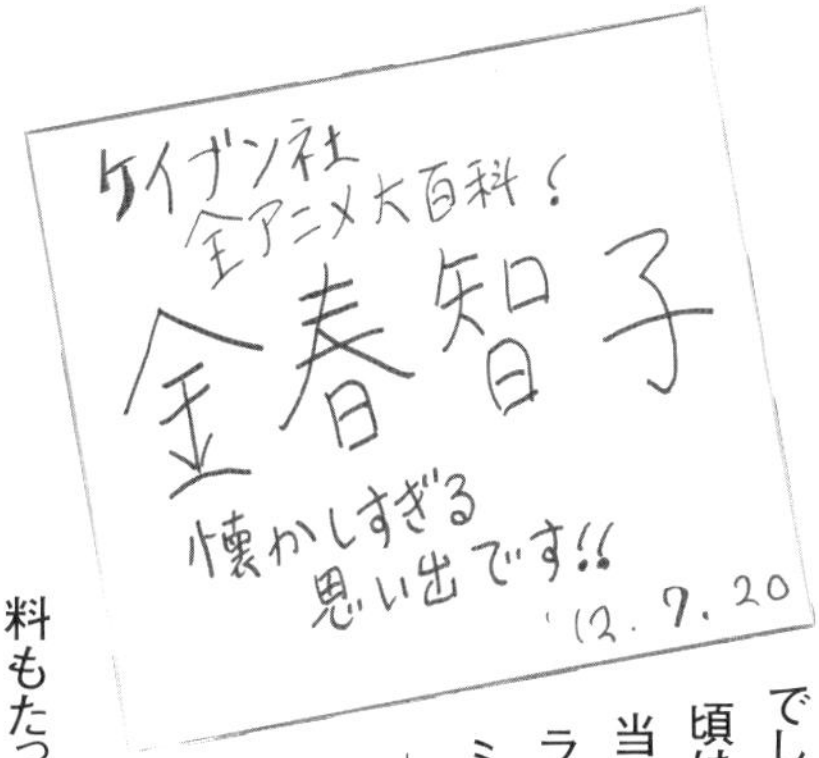

ケイブン社
全アニメ大百科！
金春智子
懐かしすぎる
思い出です!!
'12.7.20

──しかし金春さんは、その頃すでにアニメのシナリオも第一線で書かれていたんですよね。

金春　私が初めてレギュラーで脚本を担当させていただいたのが『花の子ルンルン』（79～80年、テレビ朝日）でしたから『全アニメ大百科』の仕事をしていた頃は、シナリオの仕事も普通にやっていました。当時書いていたのは、たとえば『Dr.スランプ アラレちゃん』『パタリロ！』『魔法のプリンセス ミンキーモモ』などですね。

──当時の超人気作品ばかりですね！ 自分がシナリオを書いたアニメの紹介記事を自分で書くのって、やりにくくなかったですか？

金春　むしろ書きやすかったですよ。資料もたっぷりあるしお話もバッチリ把握しているわけですから（笑）。何しろ当時は今のように情報があふれていませんし、市販のビデオソフトもＤＶＤもなかったですからね。放送で作品を観たことがないと記事が書けなかったんです。

──では金春さんは、アニメはもともとたくさん観ていらっしゃったんですか？

金春　バリバリのアニメファンでした。学生時代は、世の中にテレビアニメを評論するメディアがないということで憤慨して、それじゃあ自分たちで作ってしまおうと仲間を集めてテレビアニメを研究・評論する同人誌を作っていたんです。『全アニメ大百科』のときは、このとき集めた資料がものすごく役立ちました。一緒に原稿を書いていたのもその同人誌仲間なんですよ。

──『全アニメ大百科』当時のことで記憶に残っていることはありますか？

金春　そうですね。『全アニメ大百科』のお仕事をいただいて2年目の『57年度版　全アニメ大百科』のときのことです。私たちは依頼された原稿を書いただけなので知らなかったんですが、じつは前の年の『全アニメ大百科』には正式な版権許諾を取っていない作品がいっぱいあったらしいんです。それが後から問題になったようで、57年度版の編集担当の方があらためて全社を回って版権を取り直したそうです。後で聞いてびっくりしました。今だったら莫大なお金を請求されるとか出版差し止めになったりとか大問題になりそうですけど、当時は「ごめんなさい」で済んだみたいで、本当にのんびりした時代だったんですね。

大百科伝説②

一体どこの誰が解けるんだ？クイズが難しすぎる!!

「最初にくみとりをやった人は？」「ヨッちゃんが生まれたときの体重は？」ときて、きわめつけは聖子ちゃんに関するこんな失礼な問題だ！

大百科シリーズの中で安定した人気を持ち、定期的に発行されていたのがクイズ本だ。その数は、昭和刊行分だけで20冊、平成になるとヒーローやゲームキャラにからめたもの、あるいは復刻版などが目立つようになるが、やはり同じくらいの冊数が刊行されている。

一冊につき、だいたい数百問のクイズが掲載されているから、問題制作者も大変だ。これだけ冊数を出していると、さすがにネタも尽きてくるわけで、なかにはマニアック過ぎて、子どもにはわかりっこないだろうというような問題もけっこうあった。たとえば108番『ヒーロークイズ大百科PART3』には、こんな問題が載っている。

「『類猿人ターザン』までで、ターザン役者は全部で何人いるか知ってるかい？（ウルトラファミリーより多いんだよ）」

答は16人だが、初代ターザン役者は1918年のサイレント映画『ターザン』に主演したエルモ・リンカーンだし、もっともポピュラーなターザン役者であるジョニー・ワイズミュラーにしても活躍したのは1930年代から40年代にかけてだから、さすがに子どもには馴染みがないだろう。でも、そんなことにはおかまいなしにマニアックな情報を提示していくのが、ケイブンシャらしいところ。なにしろ、この本のコラムでは、SF映画の情報をいち早く入手する方法として、洋書店をまわることを薦《すす》めているくらいなのだ。英語がわからなくても、写真を見ているだけで楽しいと書いてあるけど、ランドセルを背負って洋書店まわりをしている小学生がいたら、それはちょっと異様な気もするのだが……。

面白すぎる『おもしろ日本一大百科』

また、クイズそのものの大百科以外でも、コーナーのひとつとして、本のテーマに関連したクイズが掲

191『おもしろ日本一大百科』に収録されているクイズ。答は③のアトムで、理由は1973年1月に40.7%というアニメの最高視聴率をマークしたからというのだが、質問が抽象的すぎないか!?

載されることもよくあった。本来のテーマに即した紹介記事や解説だけでは一冊埋める分量に届かず、頁の穴埋め用として企画されるケースが多かったようだが、なかには、難しすぎたり、そんなことまでクイズにする意味があるのか、と突っ込みたくなるような珍問・奇問も少なからずあった。たとえば191番『おもしろ日本一大百科』には、「次のうち本当の人は誰でしょう?」という問題で、次の三つの選択肢が挙げられている。

「①イボの研究にかける久保忠男さん ②ヘソの研究にかける南雲吉和さん ③水虫の研究にかける夏井茂さん」

答は②だが、これがわかる子どもはおそらく皆無だろう。ちなみに南雲吉和は日本の美容外科のパイオニアともいわれる医学博士で、ヘソの研究はその一端に過ぎないのだが、そういうことはこの本のどこにも書かれていない。

同書では、「最初にくみとりをやった人は?」というクイズも掲載されており、「①銀座の車夫・中村草蔵 ②神戸の肥料屋・江川二郎 ③横浜の炭屋・浅野総一郎」が選択肢として挙げられている。

答は③だが、浅野総一郎といえば明治時代、裸一貫から浅野セメントや浅野造船所などを設立。一代で浅野財閥を築き、「セメント王」とも呼ばれた立志伝中の人物である。ところがこの本ではそんなことはまったく説明されず、公衆便所からあふれ出した便を集めて農村に売ったのが浅野、としか書かれていない。子どもからしてみたら、「そんなおっさん、知るか!」って感じだろう。そもそも、くみとりは江戸時代の長屋の共同便所でもおこなわれていたというから、選択肢自体間違っているのだが……。

マニアックといえば、4番の『ヤングタレント大百科 58年度版』のクイズがぶっとんでいる。

「トシ(田原俊彦)が夢にまで見た『ザ・ベストテン』に出て、うたったのは『哀愁でいと』。じゃ何年何月何日?」とか、「ヨッちゃん(野村義男)が生まれたときの体重は?」なんていう問題、よほどのファンでもわからないだろうし、知っていたとしても、たいして自慢にはならない。ちなみに答は、前者が「昭和55年7月10日」、後者が「4100グラム」である。

そして、きわめつけといえるのが、このクイズだ。「ジャーン!(松田)聖子の下着の色は?(これを知ってれば聖子ファンまちがいナシ!)」。選択肢は「A・あわいピンク B・白とベージュ C・白だけ」。

答はBとなっているけど、そんなこと、どうやって調べたんだ? 証拠の写真がなければ納得できないぞ。

大百科列伝③

綱島理友◉コラムニスト

かつて大百科の編集を担当していたという綱島理友氏。表紙のイラストを自ら描いたりと、熱気にあふれた80年代編集部の様子を回想してくれた!!

――綱島さんは、現在はコラムニスト、またプロ野球の意匠研究家として活躍されていますが、かつては勁文社で大百科の編集をしておられたんですよね。

綱島　勁文社へ入社したのは1979年です。当時は就職難の時代で大学を出ても仕事がなくてね。美術系の大学だったから、美術の勉強をしにアメリカ留学でもするかなーなんて考えていたら、アルバイトをしていた『日刊スポーツ』の、当時編集局長だった佐藤安弘さんから、出版社を紹介してやるといわれて。それが勁文社だったんです。

――なんでまた日刊スポーツの編集局長が勁文社を？

綱島　佐藤さんは勁文社の『プロ野球大百科』で原稿を書いていたんです。それで当時西新宿にあった勁文社へ面接を受けに行ったら、あっさり合格しちゃって。

――勁文社で最初に担当された仕事は何ですか？

綱島　最初から大百科（笑）。いきなり『恐竜大百科』をまかされましてね。これを一冊作れと。そんなこといわれたって入ったばかりで何をどうすればいいのかわからない。しょうがないから先輩編集者に聞いたりしながら、何とか自分で考えてやるしかなかったんです。じつはあの『恐竜大百科』の表紙は僕が書いたんですよ。

――ええっ、綱島さんが!?

綱島　イラストレーターに頼んで描いてもらったイラストがどうにも気に入らなくて。僕もまだ若くて生意気でしたから、じゃあ自分で描いちゃえと。それで編集部長に両方の絵を見せて、どっちがいいですかと聞いたら、お前の絵で行こうといわれて。

――その分のギャラはもらったんですか？

綱島　一円ももらってませんよ。中頁のイラストもかなりの点数僕が描いてるんだけど、そもそも仕事をしてるっていう感覚がなくて、好きで絵を描いているのとほとんど同じ気持ちでしたから。これは少

『ガンダム』の大百科で僕はオタクの力を初めて知ったんです

し後になりますが『プラモデル入門大百科』を担当しまして、これが売れたんでプラモの大百科の企画が何冊か続いたんですが、その頃はモデラーの人たちと会議室にこもって、朝から晩までプラモデルを作っていましたよ（笑）。

――ほかにはどんな大百科を担当されましたか？

綱島　『拳銃マシン・ガン大百科』『サイボーグ009超銀河伝説大百科』『野鳥大百科』『宇宙大百科　パート2』など、もう何でもやりました。当時大百科は月に4～5冊刊行されていまして毎回テーマが違うわけですから、次に何が担当として振られるかわからない。そのたびに仕事の内容も違うので、ある意味、毎回刺激的で楽しかったですよ。

――担当された大百科で印象に残っている本は？

綱島　『機動戦士ガンダム大百科』ですね。これも僕が担当したんですが、ガンダムは内容が難しすぎてさすがに詳しい人に頼むしかないだろうということになって、版権元の日本サンライズから編集プロダクションを紹介してもらったんです。そうしたら、その編プロの社長が連れてきたのが4～5人のガンダムマニアの学生ライターたちでした。その学生たちが異様にガンダムに詳しくて、ガンダムの話をすると目つきがらんらんと輝いてくるんです。その頃はオタクという言葉がまだ一般的になる前でしたから、趣味の延長で仕事をするオタクライターなどもほとんどいなかったんです。びっくりしましたね、世の中にこういう人たちがいるんだと！

それとあの大百科の表紙の絵は、ガンダムのメカデザインを担当された大河原邦男さんの描き下ろしなんですが、この絵の打ち合わせで大河原さんの仕事場へ何度も通ったのもいい思い出です。大河原さんはとても温厚な方で、話をしていると本当に絵が好きなんだな、と思いました。仕上げていただいたガンダムの絵も素晴らしいもので感動しましたよ。ただ、いまだに気がかりなのは、あの原画を大河原さんにお返ししただろうかということです。

――ええっ、返してないかもしれないんですか⁉

綱島　まったく覚えてないんです。今でこそ原画の価値は誰でも知っていますが、当時は本が出たらそれに使った素材はすべて用済みでしたから。あのイラスト、どこかから出てきたら教えてください。

――は、はい……わかりました（汗）。本日はありがとうございました‼

綱島理友（つなしま・りとも）●1954年、神奈川生まれ。著書に『お菓子帖』『全日本なんでか大疑問調査団』他。プロ野球にも造詣が深い。

大百科伝説③

大人でも吐き気がするような怖い話が満載。今や語り草になった大百科とは？

カレーコロッケの中から人間の指が！ 肥溜めに落ちて死んだ女子大生を解剖したら？ 児童書コーナーで堂々と売られていた天下のトラウマ本。

子どもの頃に見聞きした怖い話や体験というのは、得てして一生もののトラウマになりがちだ。大百科シリーズには怪奇ものも多かったから、それらによってトラウマを植えつけられた読者は少なくないに違いない。

なかでも多くの読者にトラウマを与えた本として、今でも語り継がれているのが、193番『恐怖スリラー大百科』だ。怪奇恐怖系の大百科というと、心霊現象を扱ったものが定番だが、この本には、それだけでなく、都市伝説的な話や生理的な嫌悪感をもよおすおぞましい話も多く収録されている。

たとえば、スーパーで買ったカレーコロッケの中から人間の指が出てきた話。捜査してみたところ、食品工場の従業員がだれにも気づかれずに機械に巻き込まれ、ミンチ状になって死亡したが、その機械で作られたコロッケ10万個が全国に配送されてしまったというのだ。

あるいは、誤って肥溜《こえだ》めに落ちたものの、恥ずかしくて助けを呼べず悶《もだ》え死んでいった女子短大生の話。解剖の結果、彼女は3リットルもの糞尿《ふんにょう》を飲んでおり、肥溜めに落ちてから少なくとも12時間は生きていたことが判明する。肥溜めの内側の壁には無数の引っかき傷があり、彼女の爪《つめ》はすべて剝《は》がれていたという。

はたまた、耳の奥でガサガサ音がするのでCTスキャンしてもらったら、頭蓋骨《ずがいこつ》の中でゴキブリが卵を産んでいた話などなど……。

どれも見開き単位の短い話ばかりだが、もしかしたら自分も同じ工場で作られたコロッケを食べたことがあるのではないかとか、肥溜めに落ちた女性はどんな気持ちで死ぬまでの時間を過ごしていたのかとか、頭の中のゴキブリが孵化《ふか》したらどうなるのだろうかとか、その過程や状況を想像す

多くの子どもたちにトラウマを植えつけた、幻のホラーマンガ「蟬を食べた少年」。入手困難と知ると、ますます読みたくなるのが人情だ。

ることによって、恐怖はより強く脳髄《のうずい》に刻み込まれてしまうのだ。

ほかにも、小学校の教諭が生徒の前で「毒電波が来た！」と意味不明のことを口走りながら、ナイフを取り出して自分の体を切りつけるという、綾辻行人の傑作ホラー『Ａｎｏｔｈｅｒ』の元ネタみたいな話や、夜の学校でひとりコピーをとっていた教師が背後から何者かに襲われて殺され、コピー機にうつ伏せになった彼の死に顔が何千枚もコピーされていた話など、インパクトの強い話が満載。大人が読んでも吐き気をもよおすような本が児童書コーナーで堂々と売られていたのである。

「蟬を食べた少年」の衝撃

ネット上では以前から、あるホラーマンガが話題になっていた。いじめっ子によって無理やりセミを食べさせられた少年がその後、徐々に体がセミのように変形していき、ついにはセミの化け物になって、いじめっ子に復讐《ふくしゅう》をはたすという短編マンガを子どもの頃に読んだのだが、セミを食べるグロテスクな描写や不気味な絵柄が今でもトラウマになっているという意見が続出したのだ。

ところが、そのマンガの正式なタイトルも、作者名も、どの本に収録されていたのかもはっきりと覚えている者はいなかった。画風から日野日出志の単行本未収録作品ではないかという噂が飛びかったり、収録されていたのはケイブンシャの怪奇系大百科だったような気がするという情報が出まわったものの、だれも現物を再確認できぬまま年月が過ぎていったのである。

それが、大百科シリーズ288番、１９８７年発行の『恐怖体験３大百科』に収録された桑原京助（別名／つなん京助）の「蟬《せみ》を食べた少年」という作品だったことが有志の手によって突き止められたのは２０１２年のことだった。多くの読者にトラウマを植えつけた幻のマンガの詳細がついに明らかになったのだから、大きな反響を呼んだことはいうまでもない。

とはいえこのマンガ、今となっては入手困難。91年にＢ６サイズで復刻されたケイブンシャの大百科別冊ロングセレクトシリーズ34の同名書にも収録されているが、こちらも当然絶版だ。

ただし、「虫食いライター」として知られるムシモアゼルギリコ氏らが有志がこの作品を実写化し、ネット上の動画サイト「ＹｏｕＴｕｂｅ」にアップしている。マンガそのままとはいえないが、雰囲気は十分再現されているので、興味のある人はご覧になってみるといいだろう。

手元の大百科に万の値段が付いているかも!? 変わり種こそ、お宝になっている

知る人ぞ知る珍本『ウンチの大百科』や『からだなぜなに大百科』。古書価格で高止まりの大百科には意外な共通点があった!

ケイブンシャが終焉《しゅうえん》してからすでに十余年。リアルタイムで大百科シリーズを読んでいた子どもたちも、今ではほとんどが成人し、初期の読者ならすでに五十代の人もいるはずだ。子どもの頃に愛読した本は記憶の底にこびりついているから、大人になってから、もう一度読んでみたいと思う人もいるだろう。しかし、子ども時代に買った本というのは、大人になる過程で処分してしまいがち。読み返したいと思うときには、手元になかったりする。

そうなると、古本屋やネットで探すしかないのだが、なかには発行部数が少なかったため、めったに市場に出てこない巻もある。古書業界ではそういった本は「キキメ」と呼ばれるが、大百科シリーズにもそれに該当する巻が何冊かあって、定価の何倍もするプレミア価格が付けられていたりする。その代表格が、63『キャンディ♥キャンディ大百科』と181『ウンチの大百科』で、マンガ専門古書店まんだらけではそれぞれ２万６２５０円、１万２６００円で売られていたことがあるが、あっという間に売り切れてしまったほど。そのほか、287『ミニプラモ大百科』162『からだなぜなに大百科』133『ＴＨＥタケちゃん・マン大百科』126『水野晴郎の世界のポリス大百科』といったあたりも希少価値が高い。発売当時はあまり注目されなかった変わり種の本ほど高値が付きやすいのだ。あのとき買い占めておけば……と後悔しても、もう遅い。

ベストセラーになった本でも、『原色怪獣怪人大百科』や『テレビ・ヒーロー大全集』など１９７０年代に刊行されたナンバーレス時代のものは出版時期が古いこともあって入手が難しく

「ケイブンシャの大百科は特典つきです!!」という文章を覚えている方もいるのでは？　最終頁の大百科マークを５枚（５冊分）集めて送れば、もらえたのがこの『情報ミニ大百科』だった。

なっており、古書価が高騰している。とくに、74年に出た『テレビ人気者シリーズNo.2ドリフターズ遊び大百科』は、買い取り価格で2万5000円である（2014年8月現在）。箱のなかに折り込みグラフ形式のゲーム盤やカードがはいっているという玩具系出版物だが、大百科コレクターばかりでなく、ドリフターズファンにとっても垂《すい》涎《ぜん》のアイテムなので、人気が高いのだ。

　また最近では、平成になってから刊行された488『超リトルグルメ大百科』や567『疾風！アイアンリーガー大百科』あたりも高値で取引されるようになってきている。子どもの本だからといって安易に処分してしまうのは大間違い。数十年後には家宝になるかもしれないぞ。

非売品の読者プレゼントにもプレミアが！

　ケイブンシャの大百科には市販されていない非売品の本もあった。1978年〜84年発売の大百科奥付頁に付いていた応募券（大百科マーク）を5枚集めて送るともらえた『情報ミニ大百科』である。判型は大百科の半分のA7判というミニサイズだが、256頁もあり、乗り物、動物、スポーツ、芸能、サバイバル、オカルトなどのひとくち情報がぎっしり詰め込まれていた。82年には、第2集として、128頁の「野球編」も登場。表紙の色違いバージョンもあるが、どれも今では入手困難で、バカ高いというほどではないが、ちょっとしたプレミア価格が付いている。ただし、古本屋にもめったに出まわらない珍本なので、手に入れるためには、オークションなどのこまめなチェックが必要だ。

　大百科にかぎらず児童書に後年プレミア価格が付きやすいのは、きれいな状態で残っている本がきわめて少ないことも一因している。運よく残っていたとしても、何度も貸し借りされてボロボロになっていたり、いたずら書きがしてあったり、頁が破れていたりするケースが多いのだ。

　それに加えて大百科には、背割れしやすいという大きな欠点があった。分厚いうえに簡単にノリ綴じしてあるだけなので、ちょっと力を入れて頁を開くと、背がバキッと割れてしまう。繰り返し読んでいるうちに頁が外れてしまい、本がバラバラになってしまった経験を持つ読者も多いのではないだろうか。

　こんな状態では、どんなに希少価値のある大百科でも、高い古書価は望めない。とはいえ資料としては貴重なので、もし手元にあるなら、今後は大切に保管しておいたほうがいいだろう。

大百科列伝④

伊藤充広

◉収集家

静かに消え去ろうとしていた『大百科』に着目し、完全リストをつくりあげたのが伊藤充広氏だ。どんな困難をのりこえて成就したのだろう。

伊藤充広（いとう・みつひろ）●1976年、愛知生まれ。プロカメラマン等を経て、タイムカプセル(株)を設立。横浜F・マリノスの公式アプリなどを手がける。

――伊藤さんは、2003年と翌年に『ケイブンシャの大百科　完全大百科PART1』『同PART2』という2冊の同人誌を作られました。この2冊はものすごい労作で本書の製作においても大いに参考にさせていただきました。しかし伊藤さん、そもそもどういうきっかけでこの本をお作りになったんですか?

伊藤　僕は1996年から2000年代の前半まで、新古書店を回るのを趣味にしてたんです。ブックオフがもっとも勢いがあった頃ですね。仲間と一緒に全国のそうした古本屋を回って、特価本の中から掘り出し物を探し出すのにはまっていたんです。

中でも僕はとくにロボットアニメに関する本を集中して集めていたんですが、仲間のひとりが「俺はケイブンシャの大百科を集める」といい出したんですね。

僕は昭和51年生まれの大百科世代ですから、すぐにこれは面白い！　と思いました。ケイブンシャの大百科は、子どもの好きなものはアニメでも心霊でも釣りでもプラモでも、およそあらゆるネタを本にして出していましたからね。僕らの世代なら絶対に一冊は買って読んでいたはずなんです。しかも大百科を集めている人なんて当時は誰もいなかったですから、古書店で見つかればほとんど一冊100円とかで買えるし、通し番号が付いているからコンプリートする際のゴールも見えている。これはいいと！

そこで僕もさっそく友人に協力して大百科を集めはじめたんです。僕が古書店で見つけた大百科はすべてその友人に譲りました。一方で僕はというと、大百科のリスト作りに燃えたんです。僕は実際の物を集めるより、いわばリストマニアなんですね。

――リスト作りは順調に進みましたか?

伊藤　最初のころは順調でしたよ。古本屋へ行けば毎回何かしら収穫があるという感じでした。大百科の巻末にはバックナンバー紹介も載ってますから、それで少しずつリストの穴を埋めていったりしましてね。ただややこしいのは、同じナンバーで年度版が

大百科は通し番号が付いているから
コンプリートする際のゴールも見えている。
でもあと12冊というところまで来て、
そこから先がイバラの道でした。

出ている大百科ですね。たとえば2番の『プロ野球大百科』などは、同じ2番のナンバリングで53年度版から毎年、新年度版が出ているわけです。こうしたものは一冊ずつ現物を見て確かめていくしかありませんでした。

　公共の図書館も調べましたが、大百科は図書館にもほとんどないんです。国会図書館にも後半の大百科が少しあるだけで、ほとんど収蔵されていません。

　そうこうしているうちに、2002年に勁文社が倒産してしまったんですよ。これには非常に複雑な気持ちが湧きましたね。僕が愛した本を出していた出版社がなくなって残念という気持ちと、これでもう大百科の新刊が出ることはなくなったから完全リストが作れるという思いと、大百科の古書価格が上がってしまうんじゃないかという焦りです。

——実際、大百科の古書価格は上がったんですか？

伊藤　むしろ逆でした。倒産したことで倉庫に眠っていた新品同様のデッドストックが安く大量に市場に出回ったんです。おかげで今までいくら探してもまったく見つからなかった大百科をかなり手に入れることができました。それもほぼ新品の状態で。

——一気にゴールが近づきましたね！

伊藤　それが逆なんです。95％集まったのに残りの5％がどうしても見つからないんです。数か月探しても収穫がゼロという状態になりましてね。そこで友人と相談して今までかけていたリミッターを外す決断をしました。じつはそれまでは購入する金額の上限を一冊千円以下と決めていたんです。限度額を決めておかないときりがありませんから。だけどここまできたらそのリミッターを外そうと。それでネットオークションなどでも探しまくってその穴を一つずつ埋めていきました。

　そしていよいよ、あと12冊というところまで来たんですが、それがどうやっても埋まらなくて。

——その最後の12冊というのは何ですか？

伊藤　これがそのリストです。

8　カラー版　野生動物大百科
22　動物もの知り大百科
35　（内容不明・欠番か？）
45　おりがみ大百科
52　お料理大百科
66　手芸大百科
102　手品・ゲーム大百科
115　エチケット マナー大百科
131　四季のおりがみ大百科
150　異星人 UFO大百科
247　決定版　パズルクイズ1大百科
310　ファミコンRPG必勝法大百科

伊藤さんが“幻の35番”と呼んでいた『さらば宇宙戦艦ヤマト 愛の戦士たち パネルブックNo.1』。他の大百科とはまったく違う体裁の本だが、たしかに背には「35」の刻印が!!

――内容不明というのもありますね。

伊藤　そうなんです。35番はほかの大百科の巻末リストを見ても番号が飛んでまして、もしかしたら欠番なんじゃないかということで、僕と友人は〝幻の35番〟と呼んでいました。

――伊藤さんの同人誌でも35番は欠番ですね。

伊藤　はい、その謎は後に解けましたけどね。ともかくこの時は、いよいよもう手詰まりになってしまったので、思い余って中野のマンガ専門古書店「まんだらけ」に相談することにしたんです。そうしたら國沢さんというマニアックな本を担当されている方が対応してくださって、僕のリストを見て「これはすごい！」とすぐにその価値を認めてくださったんです。

國沢さんはこれまで、ケイブンシャの大百科にはコレクション的価値があるとずっと思いながらも、その買い取りリストが作れなかったために市場価値が作れなかったと。だけどこのリストがあれば「買い取りリストが作れる」というんですね。すぐにまんだらけにケイブンシャの大百科専用棚ができまして、大百科を集める人たちが続々と現れはじめたんです。一方で僕は、まんだらけにこれらの欠番が入荷したら言い値で買うよ、とお願いしておきまして、ようやく全巻揃えることができたんです。

――幻の35番はどうなりましたか？

伊藤　これもまんだらけの國沢さんからの情報で埋まりました。ある日、國沢さんから「伊藤さん、35番ってこれじゃないですかね」という連絡が入って見せられたのが『さらば宇宙戦艦ヤマト 愛の戦士たち パネルブックNo.１』だったんです。大百科とは全然違う大判のものでしたけど、その背には大百科の見慣れた本のマークの中に35とありましてね。これだーっ、と思わず叫んでしまいましたよ。

――あの同人誌の刊行からすでに10年がたつわけですが、今どういう思いですか？

伊藤　何年もかけてリストを作るのはすごく楽しかったし、その結果として大百科を集めるコレクター市場が生まれました。このことが今の僕に大きな影響を与えているように思います。現在、僕はスマホのアプリを作る仕事をしているんですが、埋もれていた物の価値に光を当てるという考え方は今の仕事でもぜひ生かしていきたいですね。

――本日はありがとうございました！

大百科考察

大量消費社会のあだ花ともいえる大百科。今こそ、その価値を問い直してみたい

大百科を一望していくと、見えてくる風景がある。そのラインナップには、図らずも「昭和後期の子ども文化」が反映しているのだ。

ケイブンシャというのは子どもの流行に敏感な出版社だった。そもそも、大百科シリーズのルーツである『原色怪獣怪人大百科』にしてから、当時のブームをいちはやく反映した企画だった。この本が刊行された1971年は、『宇宙猿人ゴリ』を皮切りに、『帰ってきたウルトラマン』『仮面ライダー』『シルバー仮面』『ミラーマン』といった怪獣怪人ものがたてつづけに放映を開始し、第二次怪獣ブームが幕を開けた年である。これ以降、第一次ブーム（66〜68年）をはるかに凌駕《りょうが》する数の特撮ヒーロードラマが量産されたことを考えると、このうえなくベストなタイミングで出版されたといえるだろう。

そんなケイブンシャが、子どもにとってもうひとつの人気コンテンツだったアニメを見逃すはずがなく、翌72年の『続・原色怪獣怪人大百科』では、『科学忍者隊ガッチャマン』や『デビルマン』などのアニメ作品に登場したキャラクターも扱うようになった。ケイブンシャは60年代に特撮とアニメのソノシートをいくつか出しており、このふたつの業界にはもともと強いコネクションを持っていたのだ。

その後もケイブンシャは折り込みグラフ形式や分冊形式など出版形態を模索しながら、『怪獣怪人大全集』やB6判の『テレビ・ヒーロー大全集』などのシリーズを発行していったが、74年にはテレビで高視聴率を稼いでいた『8時だヨ!全員集合』に着目し、「テレビ人気者シリーズ」として『ジャンボマックス大百科』と『ドリフターズ遊び大百科』を刊行する。

そして75年にはいよいよ文庫本サイズの冊子形式による大百科シリーズの刊行を開始するわけだが（当初は通番なし）、当時は大人向けの一般書でも

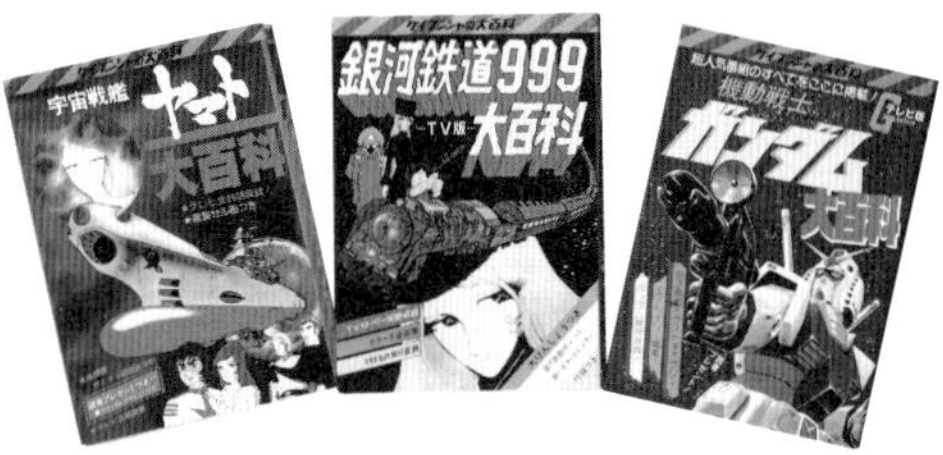

『ヤマト』『999』そして『ガンダム』。マニアックに作るという大百科の方向性を決めた３冊だが、同時に日本のサブカル史を塗りかえるエポックメーキングな作品群だった。

文庫本がブームとなっていた。その背景には、73年のオイルショックによって紙の価格が高騰したため、廉価な文庫本に人気が集まったという事情もあるのだが、小さいサイズながらも分厚くて（厚紙を使用していたためで、標準的な頁数は３００頁台だったから、普通の文庫本と大差ないのだが）、たくさんの情報がぎっしりと詰め込まれていた大百科は子どもたちの心をとらえ、ケイブンシャの看板ともいうべきシリーズに成長していくことになる。その成功は小学館や学研などの大手出版社にも影響を与え、コロタン文庫やおまかせ大事典といった同様の形態のシリーズが続出するほどだった。

趣味全般型からブーム追従型へ

初期の大百科には、特撮・アニメもののほか、『陸・海・空 全兵器大百科』『世界の鉄道 機関車・電車大百科』『プロ野球大百科』『世界の名車 自動車大百科』『野生動物大百科』『大相撲大百科』『タレント大百科』などの本があり、テレビ番組だけでなく、子ども——とくに小学生男子が興味を持ちそうな分野を幅広くカバーしていこうという姿勢がうかがえる。カタログ的な構成の本が多かったことから、もしかすると、子どもの趣味全般に関するデータベースを構築しようという壮大な構想があったのかもしれない。

ともあれ、子どもの普遍的な趣味をまんべんなく扱っていこうというコンセプトは78年に通番が振られるようになってからも変わらず、当初は『算数パズル大百科』『カメラ入門教室大百科』『手作りおもちゃ大百科』『つり入門大百科』など、ブームにとらわれないラインナップが見られた。

ところが、『ウルトラマン大百科』『ピンクレディー大百科』『仮面ライダー大百科』などが爆発的に売れたあたりから様子が変わってくる。ブームに追従した形の本が急激に増えていくのだ。

たとえば、『宇宙戦艦ヤマト』や『銀河鉄道９９９』がヒットした79～80年にかけては、松本零士関連の大百科だけで10冊も出しているし、81年からは『機動戦士ガンダム』の本がいっきに増える。83～84年にはプロレスやジャッキー・チェンの関連書がたてつづけに登場し、84年にコアラやラッコ、エリマキトカゲが人気者になると『珍獣奇獣大百科』や『動物びっくり超能力大百科』を刊行。84年以降はファミコンとオカルト関連が大半を占めるようになっていく。

ファミコンブームで子どもの活字離れが加速したという意見があるが、ケイブンシャにとってはこれはむしろ歓迎すべき出来事だったのではないだろうか。

大百科考察

『宇宙戦艦ヤマト』を特集した、『月刊OUT』1977年6月号（創刊第2号）の表紙。「君は覚えているか?『ヤマト』のあの熱き血潮を!!」と題した巻頭カラー含め60頁の大特集で、ヤマトブームに火がついたといわれている。

なにしろ、ファミコン関連書を出せば、内容にかかわらずなんでも売れるという時代が到来したのだから。

　さらに、84〜85年にかけてなぞなぞブームが起こると『決定版 なぞなぞクイズ大百科』をシリーズ化し、巨大迷路が流行った87年には『ビックリ!? 迷宮迷路大百科』を発行。80年代後半のキョンシーブームにはやや乗り遅れた感があったが、それでも88年には『霊幻道士3 キョンシーの七不思議大百科』を出し、同年にはビックリマンシールの流行に乗って『オマケ★シール大百科』のシリーズを年間3冊も刊行するといった具合だ。

　ほかにも特撮やアニメの人気新番組に関してはその都度、特集本を出していたわけで、あらためて振り返ってみると、大百科の歴史は昭和後期の子どもの文化史そのものといってもいい。刊行ラインナップを眺めているだけで、当時、子どもたちのあいだでなにが流行していたかが手に取るようにわかるのだ。

オタクが作り、オタクを育てた大百科

　ケイブンシャも一営利企業だから売れ行きのいい分野に力を入れるのは当然だが、いくら人気があるといっても同じテーマの本をたてつづけに出していては、ネタも尽きてくる。そこで切り口を変えたり、穴埋め記事で頁を水増しする必要が生じてくるわけだが、その部分はやがてマニアックな方向へとエスカレートしていく。それこそが大百科を、ユニークかつ突っ込みどころの多いシリーズにしたともいえるが、その背景には1970年代末期に発生したひとつの現象があった。

　この時期は、77年にみのり書房のサブカルチャー誌『月刊OUT』が創刊第2号で『宇宙戦艦ヤマト』を特集し、朝日ソノラマが特撮やアニメをテーマにしたムック『ファンタスティックコレクション』の刊行を開始。78年には徳間書店のアニメ雑誌『アニメージュ』とツルモトルームのSF映画雑誌『スターログ日本版』が創刊している。

　さらに朝日ソノラマは80年に特撮雑誌『宇宙船』を創刊させるが、これらの雑誌はいずれも読者対象を主に10代後半〜20代の若者――1950年代に生まれ、物心つく頃から、手塚治虫の『鉄腕アトム』や横山光輝の『鉄人28号』に夢中になり、東宝の特撮映画やテレビ黎明《れいめい》期の特撮番組を見て育ち、第1次怪獣ブームの洗礼を受けた人間たちに想定していた。

　のちに彼らはプレオタク世代と呼ばれるようになるが、成長しても子ども時代の趣味をそのまま持ち続けることをよしとした彼らの存在によって、そ

オタク世代が楽しんで作った、という匂いに満ちた『アニメアイドル大百科』。アニメの中のキャラクターに萌える、というまさに時代を先取りした企画だったのだ。

大百科考察

れまでは子どものものとされていたアニメや特撮が若者の文化として認知されるようになったのが、この時代だったのである。そして、そういった者たちが70年代末期から80年代前半にかけて社会に進出し、大百科の作り手になっていく。

オタク世代の作り手がそれまでの世代と大きく違っていたのは、読者を楽しませるだけではなく、自分たちも楽しもうという気持ちを強く持っていたことだろう。もともとファンだった人間たちが編集や執筆に関わるようになったことで、彼らの趣味が次第に記事にも反映されるようになり、従来では見られなかった遊び心に満ちた企画も飛び出してくる。

たとえば、83年秋の『アニメアイドル大百科』も若い世代から出てきた企画である。作品自体ではなく、登場人物——とくに女性キャラクターにスポットを当てた本作りというのは、『宇宙船別冊 スーパーギャルズ・コレクション』（同年春）などの先例があったが、それらはマニア向けであり、児童書で同様のことをやろうというのは冒険でもあった。当然、上層部では反対意見もあったようだが、若手編集者の意見でも通りやすかったのが、ケイブンシャならでは。実際に出してみれば、これが予想以上に好調で、売れるとわかれば、『アニメ美少女《ヒロイン》大百科』や『アニメアイドル2大百科』などの続編が次々と出されるようになった。

ただし、こういった本が売れたのは、子どもばかりでなく、大人のマニアが飛びついたことも一因している。いつしか大百科は子どもだけのものではなく、一部のマニアからもチェックされるシリーズになっていた。そのことは読者のハガキなどから、ケイブンシャ自体も把握しており、やがて本作り自体もマニア読者を見据えたものになっていく。わかりやすく親しみやすい表現が使われ、漢字にはルビが振られ、児童書の体裁をつくろってはいたが、本によっては専門書顔負けのマニアックな内容を有していたのが大百科の特徴でもあった。

といっても、大多数の読者はもちろん子どもだったわけだから、こういった本によってマニア的な楽しみ方が裾野《すその》を広げ、無《む》垢《く》な子どもたちにオタク的な発想やもののとらえ方が植えつけられたことになる。

実際、大百科で大きな比率を占めていたアニメ、特撮、マンガ、ゲーム、アイドル、鉄道、オカルト、模型といったジャンルは、いずれも現在では、オタク度の高いジャンルに成長している。日本のオタク文化を急速に発展させた一因をケイブンシャの大百科が担っていたことは、疑いようのない事実だろう。

ナンバー	書名	発行年月日	定価	頁数	内容
639	救急戦隊ゴーゴーファイブ大百科	1999・10・13	780円	190	この年の大百科発売は少なく、やっと4冊目。
640	最新版 ゴジラ大決戦大百科	1999・10・19	780円	190	ゴジラ復活にあたり、全作品を復習するという企画。
641	超生命体トランスフォーマー　ビーストウォーズネオ完全版大百科	1999・11・26	780円	158	ビーストウォーズの第3弾を最終話までフォロー。
642	デジモンアドベンチャー大百科	2000・1・18	780円	174	アニメ『デジモンアドベンチャー』の第37話までを収録。
643	ゴジラ2000ミレニアム大百科	2000・1・14	780円	206	平成シリーズ終焉から4年ぶりに復活した本家ゴジラ。
644	デジモンアドベンチャー大百科PART2	2000・3・30	780円	174	『デジモンアドベンチャー』を最終回までフォロー。
645	14大仮面ライダー大百科	2000・4・28	780円	190	『J』までの14大ライダーの戦いと必殺技を収録。
646	全ガンダム大百科	2000・6・23	880円	286	『∀ガンダム』までのガンダム全73種類を収録。
647	仮面ライダークウガ大百科	2000・6・27	740円	144	11年ぶりに復活した仮面ライダー『クウガ』の第1弾。
648	カブト・クワガタ大百科	2000・7・30	820円	294	84番の復刻改訂版。ここから怒濤の復刻改訂版が続く。
649	怪奇ミステリー大百科	2000・7・27	780円	240	156『怪奇ミステリー大百科』の復刻改訂版。
650	恐怖体験大百科	2000・7・29	780円	224	188『恐怖体験大百科』の復刻改訂版。
651	カラー版 昆虫大百科	2000・8・7	800円	336	43『カラー版　昆虫大百科』の復刻改訂版。
652	デジモンアドベンチャー02大百科	2000・10・16	780円	190	デジモンシリーズ第2作『02』を第23話まで収録。
653	未来戦隊タイムレンジャー大百科	2000・10・23	780円	190	スーパー戦隊シリーズ24作目はハードな展開。
654	仮面ライダークウガ大百科2	2000・11・24	740円	160	『クウガ』大百科の第2弾。第31話までを収録。
655	ゴジラ×メガギラス G消滅作戦大百科	2001・1・9	840円	174	復活ゴジラ第2弾『ゴジラ×メガギラス』の大百科。
656	おりがみ大百科	2001・1・19	820円	334	45『おりがみ大百科』の復刻改訂版。
657	天体・星座大百科	2001・1・19	800円	272	99『天体★星座大百科』の復刻改訂版。
658	決定版 なぞなぞクイズ大百科	2001・1・19	780円	208	226『決定版 なぞなぞクイズ2大百科』の復刻改訂版。
659	最新 恐怖実話大百科	2001・1・19	780円	192	403『最新恐怖実話大百科』の復刻改訂版。
660	決定版 パズルクイズ大百科	2001・1・19	780円	222	247『決定版　パズルクイズ1大百科』の復刻改訂版。
661	日本 謎の伝説大百科	2001・3・1	780円	278	206『日本　謎の伝説大百科』の復刻改訂版。
662	手作りおもちゃ大百科	2001・2・27	820円	336	19『手作りおもちゃ大百科』の復刻改訂版。
663	地球の謎・不思議大百科	2001・2・27	780円	190	473『地球の謎・不思議大百科』の復刻改訂版。
664	最新版 恐竜大百科	2001・2・27	780円	190	502『最新版　恐竜大百科』の復刻改訂版。
665	超難問パズルクイズ333大百科	2001・3・1	780円	190	513『平成カルトパズルクイズ大百科』の復刻改訂版。
666	仮面ライダークウガ大百科3	2001・3・26	740円	160	『クウガ』3冊目の大百科。最終話までフォロー。
667	カラー版 野鳥大百科	2001・3・26	820円	336	86『カラー版　野鳥大百科』の復刻改訂版。
668	動物びっくり超能力大百科	2001・3・26	780円	280	204『動物びっくり超能力大百科』の復刻改訂版。
669	決定版 なぞなぞクイズ大百科PART2	2001・3・28	780円	224	234『決定版　なぞなぞクイズ3大百科』の復刻改訂版。
670	手品・ゲーム大百科	2001・3・28	820円	302	102『手品・ゲーム大百科』の復刻改訂版。
671	デジモンアドベンチャー02大百科完結編	2001・4・27	780円	190	デジモン『02』の大百科第2弾。最終話までを収録。
672	世界の謎・不思議大百科	2001・4・20	780円	222	432『世界の謎・不思議大百科』の復刻改訂版。
673	UFO写真大百科	2001・4・28	780円	192	442『UFO写真大百科』の復刻改訂版。
674	カラー版 世界の昆虫大百科	2001・4・26	820円	342	118『カラー版　世界の昆虫大百科』の復刻改訂版。
675	おもしろ迷路大百科	2001・4・26	780円	240	214『迷路パズル大百科』の復刻改訂版。
676	野外冒険大百科	2001・5・8	820円	304	44『野外冒険大百科』の復刻改訂版。
677	名探偵推理クイズ大百科	2001・5・8	820円	328	96『名探偵推理クイズ大百科』の復刻改訂版。
678	恐怖の学校霊大百科	2001・7・23	780円	174	592『恐怖の学校霊大百科』の復刻改訂版。
679	全仮面ライダー大百科	2001・10・22	840円	224	『アギト』までのライダーシリーズの総集編的内容。
680	25大スーパー戦隊大百科 ヒーロー&ヒロイン編	2001・6・29	840円	208	『ゴレンジャー』以来のスーパー戦隊25作品の総集編。
681	つり入門大百科	2001・5・18	820円	328	24『つり入門大百科』の復刻改訂版。
682	クイズ版ゲームブック大百科	2001・7・30	780円	256	290『クイズ版ゲームブック大百科』の復刻改訂版。
683	日本古代の謎大百科	2001・6・29	780円	222	370『日本古代の謎大百科』の復刻改訂版。
684	恐怖話大百科	2001・6・29	780円	222	440『恐怖話3大百科』の復刻改訂版。
685	戦国武将大百科	2001・6・29	780円	176	325『戦国武将大百科』の復刻改訂版。
686	仮面ライダーアギト大百科	2001・9・24	740円	176	平成ライダーシリーズ第2作『アギト』の大百科。
687	サッカークイズ285大百科	2001・7・30	820円	174	版権物以外では久々の新作となる大百科。
688	クワガタ採集・飼い方大百科	2001・9・24	780円	262	259『クワガタ採集・飼い方大百科』の復刻改訂版。
689	25大スーパー戦隊大百科 メカニック編	2001・9・28	840円	208	680『ヒーロー&ヒロイン編』に続く戦隊シリーズ総集編。
690	百獣戦隊ガオレンジャー大百科	2001・11・19	800円	190	本書がスーパー戦隊シリーズ最後の大百科となった。
691	デジモンテイマーズ大百科	2001・11・2	780円	158	デジモンシリーズ第3作『テイマーズ』の大百科。
692	四季のおりがみ大百科	2001・10・25	820円	320	131『四季のおりがみ大百科』の復刻改訂版。
693	仮面ライダーアギト大百科2	2001・12・21	740円	176	『アギト』の大百科第2弾。第36話までを収録。
694	ゴジラモスラキングギドラ 大怪獣総攻撃大百科	2002・2・19	880円	174	登場怪獣とメカの徹底解剖や歴代四大怪獣の紹介。
695	未確認物体大百科	2002・3・1	880円	176	版権物以外のオリジナル企画では最後の大百科。
696	仮面ライダーアギト大百科3	2002・3・29	740円	176	『クウガ』に続いて『アギト』も3冊大百科を出した。
697	デジモンテイマーズ大百科 完結編	2002・5・17	780円	192	最後の大百科だが、ストーリーを完結までフォロー。

ナンバー	書名	発行年月日	定価	頁数	内容
580	勇者警察ジェイデッカー大百科	1994・7・20	728円	190	勇者シリーズとしては最後の大百科。第21話まで。
581	スーパーマリオ超ムズクイズ大百科	1994・8・8	699円	206	2年半ぶりの発売となったマリオ4冊目のクイズ本。
582	全ワリオ大百科	1994・9・5	699円	190	ルイージをさしおいて人気キャラになったワリオ。
583	ミュータントタートルズクイズ大百科	1994・9・9	699円	190	全米で大人気となった『ミュータントタートルズ』のクイズ本。
584	'94秋最新版 Jリーグ大百科	1994・10・7	709円	190	Jリーグを扱った大百科はこれが最後となった。
585	機動武闘伝Gガンダム大百科	1994・11・29	699円	190	ガンダムの概念を一新した"格闘するガンダム"。
586	ゴジラVSスペースゴジラ決戦大百科	1995・1・13	709円	206	急遽製作されたゴジラシリーズ21作目を特集。
587	ぷよぷよ通大百科	1995・2・14	728円	158	ぷよぷよ第2弾『ぷよぷよ通』の大百科。
588	怪奇！心霊写真2 大百科	1995・3・17	709円	190	音楽室に棲む霊の手が写った!!
589	'95年版 ヴェルディサッカー入門大百科	1995・3・20	738円	206	ヴェルディの大百科第2弾だが、これで最後。
590	ガメラ大怪獣空中決戦大百科	1995・3・31	718円	206	復活平成ガメラ第1弾の大百科。
591	スーパードンキーコング大百科	1995・4・28	728円	160	ドンキーファミリーの紹介やドンキークイズなど。
592	恐怖の学校霊大百科	1995・6・12	709円	174	『トイレの花子さん』や『学校の怪談』が人気の頃。
593	怪奇！心霊写真3 大百科	1995・7・20	709円	190	黒田みのる鑑定の心霊写真シリーズも第3弾に。
594	重甲ビーファイター大百科	1995・7・28	757円	190	メタルヒーローシリーズ14作目を第21話まで収録。
595	最新 星のカービィ大百科	1995・8・14	728円	158	『星のカービィ』初の大百科。シリーズ5作品を紹介。
596	す〜ぱ〜なぞぷよ ルルーのルー大百科	1995・8・18	728円	158	ぷよぷよのパズル版『なぞぷよ』の大百科。
597	鉄拳 TEKKEN大百科	1995・9・8	757円	174	ナムコの人気対戦格闘ゲーム『鉄拳』の大百科。
598	新機動戦記ガンダムW大百科	1995・10・30	718円	190	特に女子に人気が高かった『Wガンダム』を特集。
599	がんばれ！ヨッシー大百科	1995・11・29	728円	158	ゲーム『ヨッシーアイランド』の大百科。
600	最新 全マリオ大百科	1995・12・29	757円	190	マリオが登場する最新のゲームを特集した大百科。
601	全ぷよぷよ大百科	1995・12・20	757円	190	これまで発売された『ぷよぷよ』シリーズを特集。
602	ゴジラVSデストロイア決戦大百科	1996・1・12	709円	206	「ゴジラ死す」で有名な、平成ゴジラシリーズの完結編。
603	スーパードンキーコング2 ディクシー&ディディー大百科	1996・3・29	728円	158	ディクシーの初めての冒険体験記やファミリー紹介。
604	星のカービィ スーパーデラックス大百科	1996・6・28	728円	158	シナリオの他に特別マンガ「仮面のメタナイト」も。
605	恐怖の霊体験大百科	1996・7・10	729円	190	闇の淵からこだまする霊たちの叫び…。
606	ストリートファイターZERO大百科	1996・7・30	757円	174	『ストZERO』『ストZERO2』を特集した大百科。
607	ガメラ2 レギオン襲来大百科	1996・8・16	728円	206	平成ガメラシリーズ第2弾『レギオン襲来』の大百科。
608	恐怖の学校霊2 大百科	1996・8・20	728円	190	『学校の怪談2』『エコエコアザラク2』に合わせて。
609	す〜ぱ〜なぞぷよ通 ルルーの鉄腕繁盛記大百科	1996・8・30	757円	158	『なぞぷよ』の第2弾『なぞぷよ通』の大百科。
610	ゲゲゲの鬼太郎大百科	1996・9・12	738円	206	平成版『ゲゲゲの鬼太郎』を第33話まで収録。
611	怪奇！心霊写真4 大百科	1996・9・12	718円	190	黒田みのる鑑定の心霊写真シリーズ第4弾。
612	激走戦隊カーレンジャー大百科	1996・10・22	728円	176	549番『ダイレンジャー』以来久々のスーパー戦隊物。
613	スーパーマリオ64大百科	1996・10・30	757円	158	NINTENDO64と同時発売『スーパーマリオ64』を扱う。
614	ビーファイターカブト大百科	1996・12・6	728円	174	メタルヒーローシリーズ15作目を第39話まで収録。
615	モスラ大百科	1997・1・3	738円	206	ゴジラシリーズの休止に伴い始まった『モスラ』第1弾。
616	ぷよぷよ通決定盤大百科	1997・2・28	757円	158	PS版『ぷよぷよ通決定盤』の大百科。
617	新SD戦国伝 機動武者大戦大百科	1997・3・27	757円	158	SDガンダム関連としては最後の大百科。
618	スーパードンキーコング3 謎のクレミス島大百科	1997・4・1	728円	158	『ドンキー3』の登場キャラやクレミス島の徹底案内。
619	検証!!UFO・異星人大百科	1997・5・20	730円	190	これまで発売されたUFO関連の集大成的な内容。
620	ゲゲゲの鬼太郎パート2 大百科	1997・5・26	740円	206	平成版『鬼太郎』の第2弾。第69話までを収録。
621	全マリオコミック大百科	1997・6・19	680円	174	コミックだけで構成された初の大百科。
622	ぷよぷよSUN大百科	1997・6・27	760円	158	ぷよぷよシリーズ第3弾『ぷよぷよSUN』の大百科。
623	学校の恐怖体験大百科	1997・7・22	730円	190	『学校の怪談3』の劇場公開に合わせて発売。
624	超恐い話大百科	1997・8・22	730円	190	恐怖マンガは「忘れられた友」と「メッセージ」。
625	電磁戦隊メガレンジャー大百科	1997・10・27	740円	206	スーパー戦隊シリーズ21作目を第32話まで収録。
626	全スーパーマリオ わくわくクイズ大百科	1997・12・9	780円	190	ネタは尽きず、5冊目に突入したマリオのクイズ物。
627	ストリートファイターコレクション大百科	1997・12・26	780円	160	『スパII』『スパIIX』『ZERO2'』収録のゲームを扱う。
628	モスラ2 海底の大決戦大百科	1998・1・9	740円	192	表紙コピーは「とべ、モスラ!　平和のために!!」。
629	サッカー日本代表大百科	1998・3・27	780円	158	初のワールドカップ参戦が決まった日本代表を特集。
630	FIFAワールドカップ フランス98オフィシャル大百科	1998・6・24	780円	160	ワールドカップ直前に発売されたFIFA公認の大百科。
631	ロックマンクイズ大百科	1998・7・21	780円	174	ロックマンシリーズの、なぜかクイズを扱ったもの。
632	超生命体トランスフォーマー ビーストウォーズII大百科	1998・8・25	780円	158	8年ぶりに復活したトランスフォーマーだが評判は…。
633	ゴジラ GODZILLA大百科	1998・8・29	780円	174	タイトルに反してハリウッド版ゴジラの扱いは少ない。
634	ポケットファイター大百科	1998・10・6	780円	176	SDファイターが戦う『ポケットファイター』の大百科。
635	星獣戦隊ギンガマン大百科	1998・10・16	780円	190	スーパー戦隊シリーズ22作目を第30話まで収録。
636	モスラ3 キングギドラ来襲大百科	1999・1・11	780円	206	モスラシリーズは第3弾にして最終作となった。
637	1999年！世界の恐怖大百科	1999・6・25	780円	190	1999年7の月というノストラダムスの大予言直前。
638	超生命体トランスフォーマー ビーストウォーズネオ大百科	1999・6・29	780円	174	ビーストウォーズシリーズ第3弾を第23話まで収録。

ナンバー	書名	発行年月日	定価	頁数	内容
521	魔法のヒロインひみつ大百科	1993・2・17	699円	206	『ミンキーモモ』『マリーベル』『大龍宮城』ほか。
522	ファイティングゲーム大百科	1993・2・18	699円	206	対戦格闘ゲームを中心にアクションゲームも。
523	恐怖実話2 大百科	1993・3・12	680円	190	死者の魂が人形に宿り、呪い、そして祟る…。
524	スーパービックリマン2 大百科	1993・3・17	699円	190	『スーパービックリマン』の第39話までを収録。
525	SDヒーロークイズ大百科	1993・4・12	699円	190	SDガンダム中心に仮面ライダーSDからも出題。
526	最新版 スーパーロボット決戦大百科	1993・3・22	699円	206	主にダ・ガーン、ジュウレンジャー、ガンバルガー。
527	最新 ㊙ゲームウラ技大百科	1993・4・16	699円	206	スーファミ、ファミコン、メガドラなどの裏技を紹介。
528	完全保存版 仮面ライダー1号・2号大百科	1993年	不明	206	初代『仮面ライダー』を徹底的に解説した大百科。
529	Jリーグ大百科	1993・4・19	699円	190	スタート直前に迫ったJリーグを徹底的に分析。
530	告白！ミステリー体験大百科	1993・5・14	680円	190	霊障に苦しんだ人々が語る恐怖体験。
531	甲竜伝説ヴィルガストOVA大百科	1993・5・17	660円	160	OVA版の『ヴィルガスト』を特集。
532	有言実行三姉妹シュシュトリアン大百科	1993・5・20	699円	190	不思議コメディシリーズ最終作を第16話まで。
533	'93年版読売ジャイアンツ大百科	1993・6・2	699円	206	長嶋監督復帰で久々ジャイアンツが大百科に。
534	完全版 ファミスタ 大百科	1993・6・16	699円	190	ナンバーワン野球ゲーム『ファミスタ』を特集。
535	超最新パーフェクト版機動戦士ガンダムモビルスーツ大百科	1993・6・18	757円	254	画面に登場した歴代ガンダムのMS・MA全掲載。
536	最新版 スーパーマリオわくわく大百科	1993・6・21	699円	206	『マリオカート』などマリオ登場のゲームを紹介。
537	恐怖実話3 大百科	1993・7・16	699円	190	「血の涙を流す少年の亡霊」など読者投稿31話。
538	'93ヒーローロボット大百科	1993・7・16	699円	206	主にアイアンリーガー、Vガンダム、ゴウザウラー。
539	アクションゲーム人気キャラクター大百科	1993・7・20	699円	206	マリオ、ソニック、ロックマンなどを紹介。
540	15大戦隊大百科	1993・7・20	757円	288	『ダイレンジャー』までの戦隊シリーズ15作品収録。
541	若草物語ナンとジョー先生大百科	1993・8・12	699円	190	世界名作シリーズを扱った唯一の大百科。
542	ワギャンランド 大百科	1993・8・13	699円	190	ナムコの人気ゲームシリーズ6作品を収録。
543	恐怖！体験話大百科	1993・8・16	699円	190	緊急取材は新潟のミステリーゾーン。
544	勇者特急マイトガイン大百科	1993・8・19	699円	206	勇者シリーズ第4弾を第27話まで収録。
545	日本 謎の怪奇現象大百科	1993・9・3	699円	190	水死者の霊が集まる洞窟などを取材。
546	RPG人気キャラクター大百科	1993・9・7	699円	206	539番と同じ趣旨で、RPGの人気キャラを紹介。
547	ワールドカップ・サッカー大百科	1993・9・30	699円	190	あの「ドーハの悲劇」が起きた最終予選直前に発売。
548	特撮100大ヒーロー大百科	1993・9・10	728円	206	特撮作品のヒーローを100組紹介。
549	五星戦隊ダイレンジャー大百科	1993・10・15	699円	206	戦隊シリーズ17作目を第31話まで収録。
550	最新版 Jリーグ大百科	1993・10・18	699円	190	Jリーグに関するものなら何でも売れた頃の本。
551	人気ゲーム(超)クイズ大百科	1993・10・18	699円	190	恒例のクイズ本。今回は初のゲーム版である。
552	熱血最強ゴウザウラー大百科	1993・10・19	699円	206	エルドランシリーズ最終作を第29話まで収録。
553	最新版 格闘ゲーム人気キャラクター大百科	1993・10・19	699円	190	この後ゲーム関係の大百科がやたら発売される。
554	スーパーマリオ攻略大百科	1993・10・29	699円	190	『スーパーマリオコレクション』発売に合わせて。
555	ゴジラ大決戦大百科	1993・11・5	699円	206	『ゴジラVSモスラ』までのゴジラ全作品を収録。
556	ボンバーマン大百科	1993・11・8	699円	190	ハドソンの長寿人気ゲームシリーズをすべて収録。
557	13大仮面ライダー必殺技大百科	1993・11・16	728円	206	『ZO』までの13大ライダーの必殺技を特集。
558	シューティングゲームキャラクター大百科	1993・11・16	699円	190	ゲームキャラクター紹介シリーズのシューティング版。
559	'94年版TVアニメ大百科	1993・12・15	699円	206	87年版以来となるアニメ番組の総集編的大百科。
560	特捜ロボジャンパーソン大百科	1993・12・15	728円	206	メタルヒーローシリーズ12作目を第44話まで収録。
561	女神転生大百科	1993・12・17	699円	190	アトラスの人気RPG『女神転生』シリーズの大百科。
562	実名版 プロレスゲーム大百科	1993・12・17	709円	190	内容はゲーム紹介というよりも、プロレスラー紹介。
563	機動戦士Vガンダム大百科	1994・1・7	728円	206	主要キャラ死にまくりの展開が話題に。第39話まで。
564	ゴジラVSメカゴジラ決戦大百科	1994・1・12	699円	206	前年12月公開のゴジラ生誕40周年記念作品を扱う。
565	超世紀全戦隊レッドヒーロー大百科	1994・1・12	699円	206	スーパー戦隊のレッドヒーローつまりリーダーを特集。
566	ゲームボーイONI大百科	1994・1・13	699円	190	ゲームボーイで発売されていたRPG『ONI』の大百科。
567	疾風！アイアンリーガー大百科	1994・2・16	699円	206	一部に根強いファンがいる熱血スポ根ロボットアニメ。
568	最強！格闘ゲーム大百科	1994・2・16	728円	206	『ストII』シリーズや『サムライスピリッツ』など。
569	最新版 怪獣怪人ベスト300大百科	1994・2・18	728円	222	最新作を中心に怪獣・怪人300体を収録した大百科。
570	ワールドサッカー大百科	1994・2・18	699円	190	世界のサッカーリーグや有名チーム、選手を紹介。
571	恐怖実話4 大百科	1994・3・8	699円	190	ジッと見つめる白い影…表紙が恐すぎる。
572	ファイヤープロレスリング大百科	1994・3・17	699円	190	当時最も人気のあったプロレスゲームを特集。
573	ヴェルディ・サッカー入門大百科	1994・3・22	728円	206	人気絶頂だったヴェルディ川崎の選手紹介＋入門書。
574	'94春最新版 Jリーグ大百科	1994・4・5	709円	190	Jリーグ2年目を展望する選手名鑑形式の大百科。
575	最新 全スーパーマリオ大百科	1994・4・14	699円	206	『ワリオランド』発売に合わせて登場。キャラ紹介が主。
576	仮面ライダーJ大百科	1994・5・16	728円	190	仮面ライダーが巨大化してしまう『ライダーJ』を特集。
577	怪奇！心霊写真大百科	1994・5・20	699円	190	鑑定は黒田みのる。昔なら宜保先生の役回りだが。
578	完全版 MSガンダム大百科	1994・6・14	728円	190	『Vガンダム』までの画面に登場したガンダムを特集。
579	す〜ぱ〜ぷよぷよ大百科	1994・7・15	699円	158	人気パズルゲーム『ぷよぷよ』を扱った初の大百科。

ナンバー	書名	発行年月日	定価	頁数	内容
463	特救指令ソルブレイン大百科	1991·10·15	680円	206	メタルヒーローシリーズ10作目を特集。
464	最新版 人気ロボットヒーロー大百科	1991·10·15	680円	206	ライジンオー、メタルジャックあたりの分量が多い。
465	伝説のRPGアイテム大百科	1991·10·18	680円	190	413番と同じ趣旨で、RPGゲームのアイテムを紹介。
466	13大戦隊なぞなぞクイズ大百科	1991·10·18	680円	206	13大戦隊に関する難問・奇問がてんこもり。
467	最新版F1ものしり大百科 '92年版F1もの知り大百科	1991·10·21 1992·7·17	680円 680円	206 192	セナやプロストの活躍で一躍ブームになった頃に発売。人気が落ち着いた93年以降は発売されていない。
468	甲竜伝説ヴィルガスト大百科	1991·11·13	680円	206	ケイブンシャとバンダイがかなり力を入れていた作品。
469	鳥人戦隊ジェットマン大百科	1991·11·13	680円	206	戦隊シリーズ15作目『ジェットマン』を第34話まで収録。
470	決定版 シミュレーションゲーム大百科	1991·11·18	680円	190	シミュレーションゲームを特集した初の大百科。
471	絶対無敵ライジンオー大百科	1991·11·18	680円	206	エルドランシリーズ第1作を第32話まで収録。
472	ウルトラマン80大百科	1991·12·12	699円	206	67『ウルトラマン80』と同一のタイトルで発売。
473	地球の謎・不思議大百科	1991·12·13	680円	190	海底から大気圏まで地球の神秘を解明。
474	F1ラジコン大百科	1991·12·20	680円	190	F1グランプリ開催の全コースを再現する方法も。
475	バンダイSDガンダムガシャポン戦士2 大百科	1991·12·20	699円	206	ガシャポン戦士の大百科第2弾。巻末のリストは圧巻。
476	'92年版大相撲大百科	1992·1·6	680円	190	若貴ブームで盛り上がった大相撲を久々に紹介。
477	ゴジラVSキングギドラ決戦大百科	1992·1·7	699円	206	以降ゴジラは映画公開のたびに大百科も発売。
478	スーパーマリオなぞなぞクイズ大百科	1992·1·7	699円	206	マリオなんでもクイズや敵キャラ名前あてクイズも。
479	全機動戦士ガンダム名決戦大百科	1992·1·13	699円	206	ガンダムの重要な戦いを時系列に沿って紹介。
480	日本の謎・不思議大百科	1992·2·12	680円	190	失われた超古代文明や遺跡に迫る。
481	'92年版魔法のヒロイン大百科	1992·2·14	699円	206	『サリー』『トトメス』『ミンキーモモ』の3作品を紹介。
482	全ゼルダの伝説大百科	1992·2·18	699円	206	スーファミ版『ゼルダの伝説』発売に合わせて。
483	魔法のプリンセス ミンキーモモ大百科	1992·3·13	699円	206	平成版『ミンキーモモ』を第27話まで収録。
484	仮面ライダー怪人ベスト100大百科	1992·3·18	699円	206	ビデオ『真・仮面ライダー』発売に合わせての企画。
485	鳥人戦隊ジェットマン2 大百科	1992·3·20	699円	206	『ジェットマン』第2弾。全話をフォローしている。
486	恐怖話4 大百科	1992·3·20	680円	190	水面に浮かび出た生首、ビルにとりついた老婆の霊…。
487	決定版 怪獣必殺技大百科	1992·4·16	699円	206	円谷作品の怪獣の必殺技に迫った珍しい作品。
488	(超)リトルグルメ大百科	1992·4·17	680円	190	子どもでも簡単に作れる妙な創作料理を紹介。
489	バンダイSDガンダムカードダスもの知りクイズ大百科	1992·4·17	699円	206	SDガンダムカードダスをクイズにしてしまう凄さ!!
490	㊙ゲームウラ技大百科	1992·5·13	699円	206	スーパーファミコン中心にゲームの裏技を紹介。
491	恐怖レポート大百科	1992·5·15	680円	190	鈴ケ森刑場跡や雄蛇ケ池などをレポート。
492	最新版 ヒーローメカ大百科	1992·5·19	699円	206	ジュウレンジャー、ガンバルガーなどが中心。
493	うわさの恐怖体験大百科	1992·6·12	680円	190	恐怖マンガは「呪いのわたり廊下」。
494	最新版 バンダイカードダス大百科	1992年	699円	206	SDガンダムの他にドラゴンボールZやらんま1/2など。
495	パーフェクト版全仮面ライダー大百科	1992·6·16	738円	238	初代のライダーから『真・仮面ライダー』まで。
496	全魔界村 大百科	1992·6·18	699円	190	『魔界村』『大魔界村』『超魔界村』の3部作ほか。
497	伝説の勇者ダ・ガーン大百科	1992·7·13	699円	206	勇者シリーズ第3弾『ダ・ガーン』を第22話まで収録。
498	心霊現象大百科	1992·7·13	680円	190	血の涙を流す人形やポルターガイストの怪を追う。
499	恐竜戦隊ジュウレンジャー大百科	1992·7·17	699円	206	恐竜がモチーフのスーパー戦隊を第15話まで収録。
500	スーパービックリマン大百科	1992·9·29	699円	206	前作までの世界観を一新した人気アニメの大百科。
501	最新版 ラジコン大百科	1992·8·10	680円	190	ラジコンの基礎知識やカタログなど無難な内容。
502	最新版 恐竜大百科	1992·8·14	680円	190	『ジュウレンジャー』人気で恐竜ブームのなか発売。
503	スーパーヒーロー名勝負大百科	1992·8·17	699円	206	東映特撮ヒーローと、強敵やライバルとの戦い。
504	恐怖の心霊写真集大百科	1992·9·7	699円	190	心霊写真の鑑定は少女マンガ家の黒田みのる。
505	スーパーファミコンRPG大百科	1992·9·7	699円	190	スーパーファミコン全27作品のRPGを収録。
506	UFO目撃写真大百科	1992·10·13	680円	190	東経140度20分線上にUFO多発出現、とか。
507	全スーパーマリオおもしろクイズ大百科	1992·10·16	699円	206	478番に続くマリオのクイズ大百科第3弾。
508	特捜エクシードラフト大百科	1992·10·19	699円	206	メタルヒーローシリーズ11作目を第32話まで。
509	最新ベスト版バンダイカードダス大百科	1992·10·19	699円	206	熱狂的なブームは去っていたが最新版登場。
510	恐竜戦隊ジュウレンジャーRPG大百科	1992·11·13	699円	190	ジュウレンジャーがテーブルトークRPGに。
511	機動戦士ガンダム0083大百科	1992·11·19	699円	206	OVA『ガンダム0083』全話を収録している。
512	PC原人大百科	1992·11·30	699円	206	ハドソンのゲームシリーズ4作品を収録。
513	平成カルトパズルクイズ大百科	1992·12·11	680円	190	人気クイズ番組『平成教育委員会』の影響か?
514	元気爆発ガンバルガー大百科	1992·12·18	699円	206	エルドランシリーズ第2作の第36話までを収録。
515	ベストセレクト版バンダイカードダス大百科	1992·12·21	660円	158	ブームが終わり、最後のカードダス大百科に。
516	'93年版ヒーロー必殺技大百科	1992·12·17	699円	190	ジュウレンジャーが多くの分量を占めている。
517	ゴジラVSモスラ決戦大百科	1993·1·8	699円	206	雑誌『ゴジラマガジン』もこの頃創刊された。
518	スーパーチャイニーズ 大百科	1993·1·11	699円	190	このシリーズ6作品を収録した大百科。
519	13大仮面ライダーもの知りクイズ大百科	1993·1·11	699円	206	仮面ライダー誕生20周年記念作品『ZO』に合わせて。
520	SDガンダムゲーム大百科	1993·2·15	699円	206	SDガンダムが登場するゲームをまとめたもの。

ナンバー	書名	発行年月日	定価	頁数	内容
404	ヤングジャイアンツ大百科	1990・5・8	680円	222	前年度に優勝したジャイアンツの選手名鑑。
405	'90年版必勝ラジコンテクニック大百科	1990・5・14	680円	222	ラジコンの組み立て、塗装、走行テクニックまで。
406	機動戦士ガンダム全モビルスーツ大百科	1990・5・17	709円	222	『逆襲のシャア』までの4作に登場のMS・MA等を網羅。
407	任天堂ゲームボーイ2 大百科	1990・6・11	680円	222	コミックは「無敵のゲームボーイ戦士マシンダー」。
408	UFO遭遇大百科	1990・6・11	680円	222	「UFOが見れる街」として有名だった羽咋市へ取材。
409	守護霊大百科	1990・6・19	680円	222	あなたにもついてます…宜保愛子の守護霊実話。
410	アイドルのCF大百科	1990・7・2	680円	222	アイドルが出演するCFを特集した大百科。
411	心霊写真4 大百科	1990・7・11	680円	222	読者から寄せられた心霊写真を鑑定する第4弾。
412	バンダイ全カードダス大百科	1990・7・14	709円	222	当時発売されていたカードダスをすべて網羅した一冊。
413	伝説のRPGモンスター大百科	1990・7・17	680円	222	ファミコンなどのRPGゲームのモンスターを紹介。
414	霊界体験大百科	1990・8・13	680円	222	この本以降、宜保愛子は大百科に登場せず。
415	勇者エクスカイザー大百科	1990・9・5	709円	222	勇者シリーズの記念すべき第1作を特集した貴重本。
416	桃太郎伝説大百科	1990・8・16	709円	222	RPGゲーム『桃太郎伝説』のアニメ版を扱っている。
417	みんなで遊ぼう！ラジコンゲーム大百科	1990・8・16	680円	222	23種類ものラジコンゲームを紹介している。
418	全アニメ新ビックリマン大百科	1990・8・20	709円	222	一つの作品で5冊も大百科が出たのはこれだけ。
419	地球戦隊ファイブマン大百科	1990・9・17	709円	222	スーパー戦隊シリーズ14作目、ただし人気は今イチ。
420	怪奇現象大百科	1990・9・17	680円	222	「髪の毛が伸びる人形」から「富士樹海」まで。
421	美少女仮面ポワトリン大百科	1990・9・28	709円	222	不思議コメディーシリーズ「ポワトリン」の第30話まで。
422	最新版 自動車大百科	1990・9・28	680円	222	スポーツカーを中心にした最新型の自動車を紹介。
423	特警ウインスペクター大百科	1990・10・8	709円	222	メタルヒーローシリーズ9作目を特集。
424	ウルトラセブン大百科	1990・11・16	709円	254	「ウルトラセブン全データ」というべき、徹底的な特集。
425	任天堂ゲームボーイ3 大百科	1990・10・17	680円	222	ゲームボーイの大百科はこれで打ち止めとなった。
426	魔神英雄伝ワタル2 大百科	1990・10・19	709円	222	『ワタル2』の前半25話までを収録している。
427	スーパーヒーロー推理クイズ大百科	1990・11・16	709円	222	つっこみどころに事欠かないゲーム&クイズ本。
428	NG騎士ラムネ&40大百科	1990・11・16	709円	222	『SDガンダム』などの人気に便乗したアニメを特集。
429	バンダイSDガンダムガシャポン戦士大百科	1990・11・20	709円	222	彩色されたガシャポン戦士によるジオラマは感動的。
430	バンダイニューカードダス大百科	1990・12・18	709円	222	「てやんでぇ」「ヴィルガスト」「マメコップ」などレア物も。
431	アニメアイドルベスト100大百科	1990・12・18	709円	222	アニメのアイドルキャラを特集した大百科。
432	世界の謎・不思議大百科	1990・12・20	680円	222	世界の七不思議や古代遺跡を中心に構成。
433	帰ってきたウルトラマン大百科	1991・1・7	709円	254	424『セブン』の次は『帰ってきたウルトラマン』特集。
434	ウルトラマンA大百科	1991・2・11	709円	224	こちらは『ウルトラマンエース』を徹底的に。
435	元祖SDガンダム大百科	1991・2・14	631円	158	プラモ「元祖SDガンダム」のカタログ的大百科。
436	スーパーファミコン大百科	1991・2・18	631円	160	スーパーファミコンの登場に合わせて発売。
437	ふしぎの海のナディア大百科	1991・2・20	709円	222	ガイナックスの名作『ナディア』を第26話まで収録。
438	UFO接近大百科	1991・2・21	680円	222	話題の人・大槻教授による「UFO火の玉説」を掲載。
439	スーパーマリオワールドクイズ大百科	1991・3・15	631円	158	クイズ本であって、攻略本ではない。
440	恐怖話3 大百科	1991・3・19	680円	222	背後にせまりくる怨霊の視線…。
441	魔法使いサリー大百科	1991・3・22	709円	222	リメイク版『サリー』を67話までと劇場版を収録。
442	UFO写真大百科	1991・3・25	680円	206	巻末では大まじめに観測法などを紹介している。
443	全スーパーマリオ大百科	1991・4・11	709円	222	元祖からの4作品の裏技や攻略テクニックを紹介。
444	パーフェクト版ウルトラマン大百科	1991・4・12	709円	222	「パーフェクト版」の名にふさわしい、秀逸な一冊。
445	機動戦士ガンダムGUNDAM F91大百科	1991・5・17	709円	222	新しいガンダム映画『F91』は今イチ人気が出ず。
446	最新 鉄道大百科	1991・5・21	680円	222	鉄道系スター、南正時による久々の大百科。
447	スーパーファミコン必勝大百科	1991・6・14	660円	192	穴埋め企画「スーファミの研究」が笑える。
448	恐怖心霊事件大百科	1991・6・18	660円	190	これ以降、恐怖系大百科は読者投稿物ばかりに。
449	俺は強いぞマジンガーZ！大百科	1991・6・18	631円	142	永井豪のOVA『俺は強いぞマジンガーZ!』を特集。
450	アイドルのひみつ大百科	1991・6・18	631円	158	当時人気があったのは光GENJIや中山美穂など。
451	決定版 バンダイカードダス大百科	1991・7・9	680円	206	SDガンダム関係を中心にカードダスを紹介。
452	実録！UFO・宇宙人大百科	1991・7・9	660円	190	この頃乱発されたUFOものの大百科。
453	太陽の勇者ファイバード大百科	1991・7・16	680円	206	勇者シリーズ第2作『ファイバード』を第21話まで。
454	レーシング・ラジコン大百科	1991・7・16	660円	190	フォーミュラカーやスポーツカーのラジコンを紹介。
455	13大戦隊大百科	1991・8・12	680円	206	バトルフィーバーJからジェットマンまでを特集。
456	投稿！心霊体験大百科	1991・8・14	660円	190	殺人現場に誘ったり、踏切に現れる死者の霊…。
457	最新版 ヒーロー必殺技大百科	1991・8・16	680円	206	「パンチ技」「光線技」など系統ごとに紹介している。
458	最新 宇宙の謎大百科	1991・8・20	660円	190	超常現象抜きで「まじめに」宇宙の謎に迫った一冊。
459	ウルトラマンレオ大百科	1991・9・2	680円	208	424番のセブンに始まるウルトラ作品徹底解説本。
460	これが最後だバイオレンスジャック! 大百科	1991・9・2	631円	142	永井豪のOVAチビキャラウォーズ最終作を特集。
461	決定版 パソコン入門大百科	1991・9・6	660円	190	「パソコンは一家に一台」が一般的になってきた頃。
462	スーパーマリオ全キャラクター大百科	1991・9・6	680円	206	スーパーマリオに登場するキャラクターを解説・分析。

大百科リスト〈平成編〉

※89年4月以降の定価は税抜き価格を表示しています。

ナンバー	書名	発行年月日	定価	頁数	内容
351	鉄道模型決定版大百科	1989・2・2	680円	222	Nゲージを特集した大百科の最新版。
352	ウルトラマン決戦大百科	1989・2・10	680円	222	ウルトラシリーズの名決戦シーンや防衛チームを紹介。
353	なぞなぞクイズベスト500大百科	1989・2・10	680円	222	なぞなぞクイズを中心に500問を収録。
354	宜保愛子の恐怖話大百科	1989・3・2	680円	222	不幸を招く不吉な花びん、仏像の障り…。
355	激走!!ミニ4WD大百科	1989・3・3	680円	222	タミヤを除くバンダイ等が発売のミニ4WDを紹介。
	'89年版テレビヒーロー大百科	1989・3・11	680円	222	23番や328番の『テレビヒーロー大百科』を引き
356	'91年版テレビヒーロー大百科	1991・1・14	709円	222	継ぐ形で刊行された。最新作を中心に、92年版
	'92年版テレビヒーロー大百科	1992・4・20	699円	206	までの3年間この番号で発売された。
357	'89年版 ヒーロー必殺技大百科	1989・4・20	709円	222	235『ヒーロー必殺技大百科』の89年度版。
358	まんが入門大百科	1989・4・20	680円	222	まんがの描き方をさまざまな視点から解説。
359	魔神英雄伝ワタル大百科	1989・4・20	534円	142	初代『ワタル』の大百科。一応全話を収録。
360	レーサーミニ四駆大百科	1989・4・26	680円	222	当時大人気のタミヤのレーサーミニ四駆を特集。
361	仮面ライダーBLACK RX2大百科	1989・4・26	709円	222	『RX』の大百科第2弾。第12～26話までを収録。
362	宜保愛子 恐怖の心霊体験大百科	1989・4・28	680円	222	表紙には「私と霊との交信録」の見出し。
363	奥寺康彦 プロサッカー大百科	1989・5・2	680円	222	日本人初のプロサッカー選手奥寺康彦が監修。
364	来世・霊界大百科	1989・5・24	680円	222	丹波哲郎の「大霊界」がブームになったときの一冊。
365	JR全線大百科	1989・6・1	757円	320	南正時がかかわっていない鉄道系大百科。
366	怪奇ミステリー3 大百科	1989・6・1	680円	222	この頃は一冊おきに恐怖系が出されている印象。
367	おもしろ自動車大百科	1989・6・22	680円	222	クラシックカーやコンセプトカー、ソーラーカーなど。
368	宜保愛子の霊視大百科	1989・6・22	680円	222	宜保愛子が各地の霊場を訪れる「怪奇旅もの」。
369	アニメ新ビックリマン大百科	1989・6・24	563円	126	新ビックリマンの大百科第1弾。最薄の126頁。
370	日本古代の謎大百科	1989・7・20	680円	222	日本に古くから伝わる遺跡や古墳、伝承など。
371	SEGAメガドライブ大百科	1989・7・26	680円	206	『アレックスキッド天空魔城』『スーパー大戦略』など。
372	日本の霊場大百科	1989・8・1	680円	222	ちょっと前に宜保愛子先生が霊場を訪れたのに…。
373	ガンヘッド大百科	1989・8・2	709円	222	巨費を投じて製作したのに全くヒットしなかった作品。
374	完全解答 改造レーサーミニ四駆大百科	1989・8・4	534円	128	背表紙が他と少し異なって大百科とわかりにくい一冊。
375	世界の謎2 大百科	1989・8・8	680円	222	37『世界の謎大百科』、10年ぶりの第2弾。
376	楽しい工作大百科	1989・8・12	563円	160	モーターなどを使った「動くおもちゃ」の製作法を伝授。
377	宜保愛子の心霊探検大百科	1989・8・24	680円	222	特別取材は「奄美大島」の心霊地帯。
378	獣神ライガー大百科	1989・8・26	709円	222	サンライズから不人気作を押しつけられた?
379	11大戦隊決戦大百科	1989・9・12	709円	222	『バトルフィーバーJ』から『ターボレンジャー』まで。
380	霊能力入門大百科	1989・10・5	680円	222	宜保愛子先生が読者に対して霊能力をレクチャー。
381	電動RC大百科	1989・10・14	602円	158	自動車、飛行機、船などのラジコンを作る方法。
382	高速戦隊ターボレンジャー大百科	1989・10・11	709円	222	主人公たちが高校生のくせに車を乗り回していた!!
383	アニメ新ビックリマン2 大百科	1989・10・14	563円	126	369番に続く第2弾。第21話～第32話までを解説。
384	忍者・忍法帖大百科	1989・11・14	680円	222	165『忍者・忍法大百科』の流れを汲む脱力系大百科。
385	機動刑事ジバン大百科	1989・11・18	709円	222	メタルヒーローシリーズ8作目を第40話まで収録。
386	魔法少女ちゅうかないぱねま! 大百科	1989・11・20	709円	222	前作『ちゅうかなぱいぱい!』全話と『いぱねま!』第16話まで。
387	宜保愛子の心霊探検2 大百科	1989・12・12	680円	222	第2弾では、隠岐島について特集している。
388	めざせ!アイドル大百科	1989・12・13	680円	222	あこがれのアイドルになるための方法を解説。
389	新・魔神英雄伝ワタル大百科	1990・1・6	709円	222	OVA『新・魔神英雄伝ワタル』の紹介が中心。
390	'90年度版ヒーローマシン必殺技大百科	1989・12・22	709円	222	357番の89年版に続く、ヒーロー必殺技紹介の大百科。
391	アニメ新ビックリマン3 大百科	1990・1・10	563円	126	第3弾は第33話～第39話まで。たった7話分の紹介だ!!
392	任天堂ゲームボーイ大百科	1990・1・19	680円	222	ゲームボーイ黎明期に発売された大百科。
393	11人ライダー決戦大百科	1990・2・15	709円	222	1号からRXまでの11人のライダーをまとめて紹介。
394	PCエンジン大百科	1990・2・19	680円	222	PCエンジンが一番ノリにノッていた頃に発売。
395	つり名人入門大百科	1990・3・17	680円	222	釣りの基礎から魚の種類によっての釣り方まで。
396	アニメヒーローロボット大百科	1990・3・20	709円	222	スーパーロボット、可変ロボット、合体ロボットで構成。
397	'90年版鉄道模型車両カタログ 気動車編大百科	1990・3・21	680円	222	今回は特に気動車(ディーゼルカー)を中心に紹介。
398	宜保愛子の恐怖話2 大百科	1990・3・21	680円	222	文章のほか、コミックで恐怖の体験談を再現。
399	アニメ新ビックリマン4 大百科	1990・4・11	709円	222	第4弾は第40話～第51話を特集。
400	SDガンダム戦国列伝大百科	1990・4・18	709円	160	後半はジオラマでシーンを再現したゲームブックに。
401	SEGAメガドライブ必勝大百科	1990・4・17	680円	222	メガドライブのこのような本は少ないので人気は高い。
402	魔法のヒロイン大百科	1990・4・18	709円	222	サリー、ポワトリン、いぱねま、ぱいぱいなどが中心。
403	最新 恐怖実話大百科	1990・4・18	680円	222	当時話題沸騰だった人面犬についてもしっかり。

黒沢哲哉（くろさわ・てつや）

1957年、東京の葛飾柴又生まれ。早稲田大学第二文学部卒業。学生時代に『機動戦士ガンダム大百科』の編集に関わったことがきっかけで、勁文社に入社。『全怪獣怪人大百科』を始め、『ヒーロー・メカ大百科』『拳銃エアーソフトガン大百科』など、40冊以上の大百科の編集・執筆に携わった。本書で紹介されている珍本系大百科のいくつかも手がけている、とのこと。84年フリー。

子どもの頃に出会ったマンガやアニメ、テレビドラマ、映画の思い出を豊富な図版入りで紹介した『ぼくらの60〜70年代熱中記』、アトムシールや鉄人ワッペンなど所蔵のおもちゃ2000点を公開した『ぼくらの60〜70年代宝箱』（ともにいそっぷ社）などの著書がある。

公式ホームページ●http://www.allnightpress.com/

伝説の70〜80年代バイブル
よみがえるケイブンシャの大百科

2014年10月25日　第1刷発行
2014年11月20日　第3刷発行

編著者　黒沢哲哉
執　筆　四谷中葉
資料提供　伊藤充広
写真撮影　藤森信一・平賀榮樹
装幀・本文デザイン　STUDIO BEAT

special thanks
LEPREGIO、四月工場、等門じん、ルーンちゃん、蕪木統文

発行者　首藤知哉
発行所　株式会社いそっぷ社
〒146-0085　東京都大田区久が原5-5-9
電話03-3754-8119

印刷・製本　シナノ印刷株式会社

ISBN978-4-900963-64-1　C0095
定価はカバーに表示してあります。

サブカル
おもちゃ勢揃い
の保存版!!

ぼくらの 60〜70年代宝箱

黒沢哲哉 いそっぷ社 本体1600円

アトムシール、鉄人ワッペン、エイトマンシール、オバQすごろく、ビッグXカルタ、ウルトラマン人形、ソノシート、野球盤に付録マンガ、アイドルのブロマイドなどなど、ぼくらを熱狂させたおもちゃやグッズ2000点をカラーで紹介。「大人の心と子どもの心を往復する、解説風エッセイがまたおもしろい」（毎日新聞読書欄より）

鉄人メンコの
おまけ付き!!

怪人大百科
怪獣怪人大百科
全怪獣怪人大百科
プロ野球大百科
機関車・電車大百科
世界の謎大百科
まんが家入門大百科
続ウルトラマン大百科
銀河鉄道999大百科
昆虫大百科
野外冒険大百科
恐竜大百科
推理大百科
全アニメ大百科
機動戦士ガンダム大百科
鉄人28号大百科
銀河鉄道999 TV版完結編 大百科
鉄道大百科
最新兵器大百科
あしたのジョー2大百科
宇宙大百科
プラモデル入門大百科
プロレス大百科
ケイブンシャ